LA DISSERTATION
LITTÉRAIRE

LA DISSERTATION LITTÉRAIRE

éléments de méthodologie
pour la préparation
aux examens et aux concours
Sujets et corrigés

par CLAUDE SCHEIBER

Bordas

En couverture

Paul Valéry (1871-1945)
Aquarelle du Poète :
«*Autoportrait, Paul Valéry écrivant.*»
Collection Mme Agathe Rouart - Valéry

Ph. L. Joubert © Archives Photeb
© by spadem 1989.

Nouveau tirage, 1990

© Bordas, Paris, 1989
ISBN 2-04-018759-6

Table des matières

Introduction

S'ils possèdent les connaissances, les étudiants en lettres subissent malheureusement en général les conséquences néfastes de graves lacunes méthodologiques. C'est pour cette raison qu'ils ne parviennent pas à mettre leurs idées en valeur et à les communiquer dans de bonnes conditions. Pour les y aider, il n'existe pas assez de cours axés sur la méthodologie et la communication. Ce manque est particulièrement dommageable dans les grandes épreuves écrites grâce auxquelles, par exemple, on obtient l'admissibilité aux concours des grandes écoles littéraires, au CAPES ou à l'Agrégation de Lettres, mais aussi pour des examens comme le DEUG ou la licence de Lettres, qui permettent quant à eux d'accéder à ces concours par la suite.

La dissertation littéraire est sans doute à la fois l'épreuve la plus présente et la moins préparée en tant que telle. En effet, le plus souvent, on suppose la méthodologie connue, voire assimilée. Quand un effort est fait, c'est en général, en première année de licence, en Première supérieure, parfois au début des cycles de préparation aux divers concours, mais il est obligatoirement insuffisant étant donnée l'ampleur du programme à traiter par ailleurs. Ainsi, d'année en année, les lacunes méthodologiques s'élargissent et la connaissance de l'étudiant progresse sans la base qui lui est nécessaire pour être véritablement maîtrisée et communiquée.

Les échecs répétés rendent un certain nombre d'étudiants tout à fait conscients de cette distorsion intellectuelle. Ils essaient alors de trouver dans l'édition les outils techniques susceptibles de leur permettre d'acquérir une pratique méthodologique sérieuse pour remédier à la situation. Mais les ouvrages existants sont en général assez décevants. En effet, ils ne proposent la plupart du temps qu'une brève référence méthodologique suivie d'un très grand nombre de sujets de dissertations littéraires traités. Les différentes étapes de la réflexion menée à partir d'un sujet donné, c'est-à-dire les opérations mentales et intellectuelles précises, qui doivent absolument se succéder pour parvenir à traiter progressivement le sujet en question, n'apparaissent donc pratiquement jamais d'une manière claire et pédagogique. En outre, dans ce genre d'ouvrage, il n'y a jamais ou presque d'allusion aux impressions du lecteur ou du correcteur et aux moyens à utiliser pour favoriser sa réceptivité, une dissertation littéraire n'existant, après tout, que pour être communiquée.

Ces ellipses apparaissent d'autant plus inconcevables qu'une telle épreuve est destinée à tester la capacité du candidat à démontrer une thèse à partir du sujet proposé et à convaincre le lecteur, et à plus forte raison, le correcteur, de ce qu'il avance de manière logique et concertée.

Cet état de fait, concernant aussi bien l'enseignement que l'édition, apparaît inquiétant dans la mesure où - et les enseignants et les correcteurs sont assez unanimes sur ce point - les techniques de méthodologie et de communication comptent au moins pour 50 % de la note octroyée aux examens. Le pourcentage est supérieur en ce qui concerne les concours, en particulier les concours d'enseignement, pour lesquels ce sont précisément ces techniques qui font la différence, puisque les candidats doivent nécessairement faire preuve de compétences pédagogiques.

Il existe donc une sorte de paradoxe : les exigences méthodologiques font partie intégrante de la nature des examens et des concours, elles départagent les candidats, mais elles ne sont vraiment ni exposées ni expliquées comme elles devraient l'être, ce qui nuit à l'étudiant, même s'il a pris conscience qu'il doit travailler efficacement dans ce domaine particulier pour progresser et obtenir des résultats concrets. Ainsi, il faut tout d'abord concevoir qu'un savoir ne peut être efficace sans méthode d'analyse, de synthèse, de travail. On doit ensuite comprendre ce que représentent une problématique, une démonstration, un raisonnement argumenté. L'objet du présent ouvrage consiste en fait à apprendre aux étudiants à réfléchir sur un sujet littéraire en vue d'obtenir le meilleur résultat possible à un examen et surtout à un concours. Mais on ne peut y parvenir qu'en décomposant et en illustrant clairement toutes les phases du processus méthodologique et en montrant les moyens de communiquer au mieux son raisonnement.

Les applications intégrales illustrent très précisément la méthode conseillée. Les applications partielles, quant à elles, présentent uniquement une problématique et un plan synthétique suivi d'un plan détaillé du développement. L'exercice consistant à rétablir les opérations manquantes constitue un élément pratique et concret supplémentaire pour assimiler efficacement la méthode. Enfin, aussi bien en ce qui concerne les applications intégrales que les applications partielles, les analyses d'exemples précis ont été étoffées à dessein car il est très important de saisir la nécessité absolue de leur présence et la manière de les mener pour valider pleinement une démonstration.

Ce projet, difficile à réaliser et fondé sur une assez longue recherche, a été mené à terme dans l'espoir d'aider les étudiants à combler quelque peu le manque fondamental qui leur coûte souvent le succès en cette période où la situation économique accroît le nombre des candidats aux concours et où l'insertion professionnelle est délicate.

I. Conseils de méthode

1. Sens de l'épreuve

La dissertation est en général l'une des épreuves les plus importantes, sinon la plus importante, aux examens et concours littéraires. Qu'il s'agisse en effet des dissertations portant sur un sujet général, sur un auteur et une œuvre ou de la dissertation de littérature comparée, force est de constater leur considérable coefficient. Il est tout à fait évident que la réussite à ces épreuves conditionne le résultat final. Pourquoi ont-elles cette prépondérance ?

Elles sont destinées à tester les qualités intellectuelles ainsi que la personnalité du candidat. En effet, ce sont les efforts d'analyse et de synthèse dont le devoir témoigne qui déterminent l'appréciation des correcteurs. Il faut donc faire preuve de raisonnement, d'organisation et de sens critique. Ces qualités premières doivent cependant être secondées de discernement, de clarté, d'élégance d'expression et s'appuyer sur une solide culture, car une dissertation littéraire est avant tout une proposition de démonstration honnête, convaincante et nette, fondée sur des connaissances à la fois approfondies et dominées. Elle doit logiquement aboutir à une prise de position justifiée, sans jamais s'égarer, ou pire, s'enliser dans la confusion, la description et la lourdeur.

Pour toutes ces raisons, la maîtrise réfléchie d'une méthode apparaît véritablement essentielle. C'est en effet la méthode qui, en permettant de structurer efficacement la dissertation, constitue à la fois la preuve de l'intelligence du candidat et le moyen de mettre en valeur sa culture, sa personnalité, de créer un véritable rapport intellectuel avec le lecteur.

2. Appréhension du sujet

Analyser le sujet

Dans tous les cas, le sujet proposé doit être lu plusieurs fois très attentivement. Cette recommandation semble du reste encore plus importante à suivre pour le sujet général dans la mesure où la nature exacte de la réflexion demandée et la base culturelle susceptible de la soutenir ne peuvent faire l'objet d'aucune préparation spécifique préalable.

Par conséquent, il ne faut manquer aucun des mots essentiels du sujet dès le départ et opérer une sélection très sérieuse, synthétique dans tous les sens du terme. Si le sujet est assez long, ou même long, on le divise en grandes parties dont les expressions essentielles seront sélectionnées dans l'esprit d'une explication de texte linéaire. S'il est très long, cette sélection doit avoir lieu par regroupements de notions proches, ce qui permettra de cadrer l'énoncé en substance.

Ensuite, on veillera surtout à ne laisser échapper aucun des sens possibles de ces mots ou de ces regroupements sémantiques. En effet, de ce point de vue, rien ne doit être laissé au hasard dans la mesure où des pièges sont souvent tendus. La perspicacité et la subtilité doivent les déjouer d'emblée, sous peine de laisser inexplorée par la suite une partie du sujet ou d'évoquer des éléments déplacés dans un raisonnement déphasé…

Pour mener à bien cette analyse de départ, le bon sens est aussi indispensable que la connaissance approfondie des notions fondamentales, de la syntaxe, de la sémantique, de l'étymologie, le seul instrument efficace de préparation étant le dictionnaire Robert ou Littré, auquel il est conseillé de se référer le plus souvent possible.

Une fois la sélection des mots essentiels effectuée, il faut s'intéresser aux rapports qu'entretiennent ces mots entre eux, en tenant compte de l'expression dans laquelle ils sont respectivement employés.

C'est à l'issue de ce processus que le sujet est véritablement cadré, dans la mesure où l'on a pris conscience de son extension et par là même de ses limites.

Interroger le sujet, choisir et structurer une problématique

A partir de ce moment, on devient capable d'interroger le sujet, c'est-à-dire d'en faire émerger toutes les interrogations qu'il contient. Il est conseillé pour y parvenir plus efficacement d'utiliser, au brouillon, le tableau suivant :

Interrogations	Problématique

La première colonne regroupe, grâce à un effort d'analyse, toutes les questions explicites et implicites posées par le sujet. Elles ne peuvent arriver cependant, bien entendu, que pêle-mêle. C'est donc dans la seconde colonne que les questions retenues seront choisies et structurées dans un certain ordre. *Sans problématique, il n'y a pas de dissertation.* La problématique correspond à la sélection réfléchie de deux, trois, ou parfois quatre questions synthétiques essentielles posées par le sujet. Cette sélection peut se fonder sur des questions synthétiques existant en tant que telles parmi les interrogations ou reprendre un certain nombre d'interrogations pour forger une question synthétique.

Si l'on choisit une structure de trois ou quatre questions, les dernières questions doivent nécessairement représenter un dépassement des questions précédentes. En d'autres termes, il faut qu'elles marquent obligatoirement le passage à un niveau supérieur du raisonnement.

Ces questions dirigeront le raisonnement dans une progression logique. Elles ne seront donc jamais des questions rhétoriques ou, à plus forte raison encore, de fausses questions. En outre, elles s'enchaîneront réellement entre elles, puisqu'il ne sera possible de répondre à une question que si l'on dispose des réponses à la question précédente. Ainsi, ces grandes questions constitueront les pôles articulés d'un raisonnement dynamique.

Par conséquent, la problématique n'est nullement un alignement et un assemblage de deux ou trois niveaux de réflexion stéréotypés qui pourraient permettre d'englober le sujet. Cela conduirait en effet à un plan artificiel caractérisé par la description, l'immobilisme et même l'inertie. Pour chaque sujet, il faut trouver des termes de problématique susceptibles de créer un raisonnement spécifique.

Bon nombre de questions écartées pour constituer la problématique étant, quoi qu'il en soit, en situation dans la réflexion d'ensemble peuvent être utilisées en vue de composer ou même d'alimenter les sous-parties de la dissertation. Il est ainsi assez souvent possible de rentabiliser la plus grande partie du travail d'interrogation.

Au fond, une bonne problématique joue, sous une forme ou une autre, sur des questions en elles-mêmes fondamentales. - En quoi ? ou Dans quelle mesure ? Comment ? ou par quels moyens ? Pourquoi ou Pour quelles raisons ? -, c'est-à-dire des questions qui bannissent la description et dynamisent le raisonnement.

Il faut donc retenir que la problématique d'un sujet général, qui a tendance à rayonner, doit constituer une circonscription pertinente, et que celle qui concerne un auteur et une œuvre doit toujours permettre, grâce à un prisme bien défini, d'analyser des points particuliers qui se révèlent assez souvent fondamentaux, sauf quand l'œuvre est trop variée ou contradictoire, ce qui est très rare.

Quant à la problématique efficace pour un sujet de littérature comparée, elle interroge la plupart du temps explicitement ou implicitement sur le pourquoi des ressemblances et des différences des œuvres proposées, et cela sur des points précis. Les questions posées doivent concerner toutes les œuvres du sujet. Dans ce type de dissertation, en effet, il y a de grandes probabilités que le sujet implique une réflexion sur chaque projet littéraire et sa signification. En littérature comparée, on progresse dans une certaine mesure par ponctualisations successives sur le projet littéraire. Parmi toutes les œuvres, il peut cependant s'en trouver une qui nécessite, du fait de sa complexité ou de son originalité, des développements plus importants.

Pour les dissertations concernant une œuvre et à plus forte raison en littérature comparée, il est bon de se demander, en préalable à toute réflexion, s'il existe un ou des textes fondateurs des œuvres sur lesquelles on a à disserter. Cela permet parfois d'aller beaucoup plus loin dans l'approfondissement simultané du sens du sujet et des œuvres.

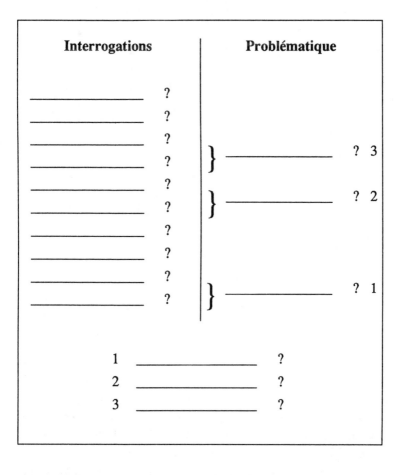

Figure 1 – Comment faire émerger une problématique.

Mobiliser des connaissances spécifiques

Il devient possible, une fois la problématique clairement constituée, de mobiliser pêle-mêle les points de réponse très divers qui lui correspondent : réflexions, connaissances et leur corollaire, exemples précis analysés, ce qui demande mémoire et concentration intellectuelles. Le terme «mobiliser» suggère à la fois l'urgence et le dynamisme nécessaires à l'opération.

Quoi qu'il en soit, il faut toujours situer un exemple ou un passage ; plus que l'emplacement dans l'œuvre, c'est avant tout la fonction dans la démonstration qu'il importe de développer, sauf bien entendu si l'emplacement lui-même a un sens particulier à utiliser dans la démonstration.

Le champ de cette mobilisation est par définition plus large en ce qui concerne le sujet général que pour ce qui est des deux autres types de dissertations littéraires, où le travail porte sur une ou des œuvres précises dont on ne doit s'éloigner sous aucun prétexte. Ainsi, dans le premier cas, chaque élément mobilisé constitue *ipso facto* une interprétation du sujet, ce qui est particulièrement dangereux si celui-ci n'a pas été correctement analysé.

Dans les trois types de dissertations, il est essentiel de donner au lecteur l'impression d'une bonne connaissance de l'œuvre ou des œuvres en question. Des citations sont donc absolument à mémoriser. Il faut en outre les faire à propos pour imposer une crédibilité. Les références et la fonction des citations qui n'appartiennent pas à des œuvres imposées par le sujet doivent être d'autant plus précises. Parmi ces œuvres, la critique littéraire peut être utilisée, par exemple, comme un jalon permettant de faire progresser le raisonnement. Du reste, en ce qui concerne la critique littéraire, il est conseillé, et cela dans les trois types de sujets, d'avoir présents à l'esprit non seulement une synthèse des idées intéressantes proposées sur les œuvres, mais aussi et surtout de connaître les instruments et les processus de raisonnement de chaque type important de critique, en vue de les utiliser au moment opportun. Cette manière de faire apporte une qualité supplémentaire aux analyses et contribue à ouvrir l'éventail de la réflexion d'ensemble.

Pour rendre la mobilisation plus productive, il convient de

procéder par approfondissements successifs. On obtient ainsi un relevé systématique, mais désordonné, des divers éléments dont on dispose. Ce désordre correspond en fait à la découverte progressive de l'ensemble de ce qui peut présenter un intérêt pour traiter le sujet, un sujet dès lors totalement appréhendé.

3. Développement : construction du plan détaillé

Une fois la problématique clairement structurée et les connaissances spécifiques mobilisées, on passe au classement des connaissances en fonction du raisonnement dessiné. On constitue donc un plan détaillé du développement proprement dit. Il peut cependant être précédé par un plan succinct, destiné à tester la solidité du raisonnement construit, avant d'aller plus loin.

Chaque grande question de la problématique devient une idée-force donnant lieu à une grande partie du développement de la dissertation. Chacune de ces grandes parties est précédée d'une articulation logique explicite de raisonnement («mais» pour l'opposition, «donc» pour la conséquence, etc.) qui montre la cohérence du passage d'une unité de sens à l'autre. Si la méthode et le style sont bien maîtrisés, certaines de ces articulations peuvent devenir implicites ; par exemple une négation mise en valeur dans une phrase bien construite suggère l'opposition. Les enchaînements du raisonnement général doivent de plus être amenés par des transitions placées à la fin de chaque grande partie, qui sont à soigner particulièrement. Chaque grande unité de sens sera nourrie par les connaissances qui lui sont appropriées. Ces connaissances seront en général utilement séparées en deux sous-parties s'appuyant sur des exemples précis analysés. Cependant le nombre de sous-parties peut aller jusqu'à quatre, surtout dans une dissertation qui n'aurait que deux grandes parties.

On peut ne pas mettre le même nombre de sous-parties dans toutes les grandes parties de la dissertation, si l'on définit un équilibre. Par exemple, deux sous-parties d'une grande partie peuvent être aussi longues que trois sous-parties d'une autre ou de deux autres grandes parties. En outre, une deuxième grande partie de dissertation peut contenir seulement deux sous-parties si les autres grandes parties en contiennent trois, et être un peu plus courte, pour servir en quelque sorte de charnière du devoir. Enfin, on envisagera des sous-parties inégales en longueur dans le sein de chaque grande unité de sens seulement si on parvient au bout du compte à maintenir un équilibre d'ensemble entre toutes les grandes unités de sens, en fonction de leur nombre.

Tout ce qui est avancé doit être clairement démontré. C'est en effet une démonstration nette que le plan met en valeur. Plus une démonstration illustrée semble aller de soi, plus elle a de chances de séduire un lecteur avec lequel se crée un véritable rapport d'intelligence.

Les phrases essentielles des grandes parties et des sous-parties, qui peuvent d'ailleurs parfois être des analyses d'exemples précis, ainsi que les transitions dans leur intégralité, sont à rédiger dès le brouillon. Elles servent en quelque sorte de balises du discours écrit à venir. Tout le reste apparaîtra sous forme de notes, étoffées directement par la suite sur la copie à rendre. Cette manière de faire permet d'aborder la phase de rédaction de la dissertation avec plus de tranquillité d'esprit.

En procédant ainsi, on ne doit pas oublier, au fur et à mesure de la progression du plan détaillé du développement, de s'assurer que le raisonnement a toujours le cap sur le sujet et que les deux ou trois parties sont équilibrées en importance et en longueur. Un plan détaillé correspond en général à peu près au tiers de ce que sera la dissertation rédigée.

Il faut absolument garder présent à l'esprit, en ce qui concerne la dissertation de littérature comparée, que toutes les œuvres sur lesquelles on demande de réfléchir doivent être présentes dans toutes les grandes parties de la dissertation. En outre, les transitions d'une dissertation de littérature comparée seront plus récapitulatives que celles des autres types de dissertations ; en effet, dans la mesure où l'on traite de plusieurs œuvres les unes par rapport aux autres, le risque de manquer de clarté est plus important.

On peut aussi ajouter, pour la littérature comparée, qu'une transition peut traiter, à travers un exemple, de l'œuvre qui, ne cadrant pas avec le raisonnement proposé, se détache. Cela permet de passer à un autre stade du raisonnement susceptible d'englober l'œuvre en question.

*

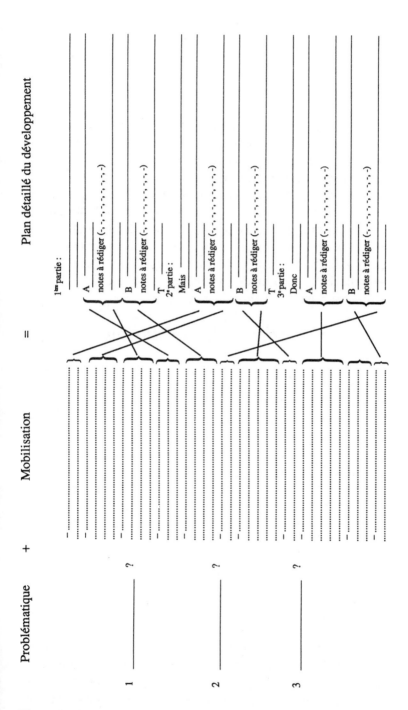

Figure 2 – De la problématique au plan détaillé du développement.

4. Conclusion

Fonction de la conclusion

C'est après avoir structuré le plan détaillé du développement que l'on rédige dès le brouillon la conclusion de la dissertation. Il apparaît en effet plus logique de composer la conclusion au moment où tout le mécanisme et le contenu du développement sont très frais à l'esprit. La conclusion doit être soigneusement rédigée car elle constitue la dernière impression du lecteur. En outre, il ne faut jamais oublier que l'épreuve de dissertation a lieu en temps limité, que la plus grande partie du développement est à rédiger directement sur la copie à rendre, et que le temps presse, surtout à la fin. Ce sont des raisons de plus pour éviter l'improvisation dans une partie du devoir aussi importante.

Les deux parties de la conclusion

La conclusion se compose de deux parties. Tout d'abord, elle doit clore le raisonnement du développement et en livrer au lecteur l'aboutissement, le fin mot, c'est-à-dire l'essence, la substance l'idée fondamentale, d'une manière très synthétique. Ensuite, sans vraiment faire rebondir le sujet, elle élargira ses perspectives à partir de l'aboutissement du raisonnement. Autant dire que la conclusion requiert une prudence et une maturité que le lecteur appréciera. En effet, étant donnée la complexité des sujets proposés, le raisonnement et surtout son aboutissement ne pourront pratiquement jamais être tranchés, catégoriques, voire rigides, mais devront refléter l'ouverture d'une véritable discussion. Les prises de position subtiles, et même parfois astucieuses, témoignent beaucoup mieux des nuances d'esprit de l'auteur de la copie.

En fait, il semble qu'une bonne conclusion dégage un des sens profonds de l'œuvre ou de chacune des œuvres. Ce nouvel élément est susceptible d'influer dans une certaine mesure sur la compréhension générale. La conclusion d'une dissertation de littérature comparée devrait en plus faire le point sur la différence de sens des œuvres et l'interpréter. Quant à la dissertation portant sur un sujet général, il serait conséquent de la conclure sur le pourquoi du sujet et ses implications.

5. Introduction

Fonction de l'introduction

L'introduction sera elle aussi rédigée soigneusement dès le brouillon, car elle constitue la première impression du lecteur et donne en quelque sorte le «la» de la dissertation.

Les deux parties de l'introduction

Elle comporte également deux parties. On doit tout d'abord amener avec ménagements le lecteur, qui est censé ne pas le connaître, au sujet. Il ne faut jamais oublier cette convention et risquer un début de devoir abrupt qui pourrait indisposer d'emblée. La première partie de l'introduction, malgré la conséquence de cette convention, c'est-à-dire un départ obligatoire sur des notions plus générales, s'efforcera de poser le sujet en indiquant sa nature, son intérêt, ses limites et commencera à faire entrevoir les perspectives selon lesquelles il va être traité, de la manière la plus originale et la plus élégante possible, en vue de capter immédiatement l'attention du lecteur. Pour stimuler sa curiosité, il est fructueux dans certains cas de commencer l'introduction par une question.

Dans la seconde partie de l'introduction, on doit annoncer la problématique du développement. L'annonce permettra au lecteur de suivre clairement la progression logique du plan. Après les notions assez générales légèrement orientées de la première partie, deux ou trois phrases simples, dont la forme peut varier – si toutefois on proscrit la lourdeur toute scolaire de «Dans une première partie...», « Dans un second temps...» – suffisent à centrer la démarche démonstrative suivie. Il faut cependant veiller, tout en étant fort clair, à ne pas maladroitement dévoiler la conclusion du devoir, mais à susciter l'intérêt du lecteur pour le développement.

Qu'il s'agisse enfin de la conclusion ou de l'introduction, il est tout à fait possible, et même parfois très pertinent d'utiliser une articulation logique entre les deux parties qui les forment.

6. Rédaction de la dissertation

Présentation générale

La présentation est très importante. En effet, la mise en page reflètera la clarté et la cohérence du plan. La copie, suffisamment aérée doit présenter, sans titres et numérotations, une dissertation dont l'introduction, le développement et la conclusion sont séparés par trois grandes croix, les grandes parties du développement par trois petites croix, et dont les paragraphes sont différenciés par des alinéas. Les transitions doivent absolument être mises en valeur. Il faut les détacher un peu du paragraphe qui précède et faire un alinéa spécial. Ce sont elles qui soulignent les articulations du raisonnement.

Expression

La plus grande partie du brouillon n'étant pas rédigée à cause du temps limité, on sera très vigilant pendant la rédaction du devoir. On le sera aussi dans la mesure où la rédaction peut constituer l'occasion d'ajouter quelques éléments complémentaires au passage. Certains principes de base sont de plus à respecter scrupuleusement : une orthographe fautive, inacceptable à ce niveau, gâche un devoir ; l'absence de ponctuation influe négativement sur la réception des raisonnements proposés ; enfin un paragraphe qui traite plus d'une idée importante développe la confusion, c'est-à-dire l'incompréhension de la part du lecteur. Ces principes fonctionnent dans le cadre d'une langue accessible à un «honnête homme», donc correcte, concise, élégante, précise et claire. Dans cet ordre d'idées, il faut par exemple savoir que la locution conjonctive «après que» est toujours suivie de l'indicatif et non du subjonctif, que l'on dit «cela dit» et non pas «ceci dit», que l'expression «une espèce» est invariable, que le verbe «pallier» est transitif, on doit également bannir «découler» pour employer «procéder», effacer «baser» pour écrire «fonder», choisir entre «voire» et «même», entre etc. et les points de suspension pour éviter le pléonasme…

Les mots et expressions utilisés excluent le langage parlé ; ils sont simples, concrets et appropriés pour ne pas déformer la pensée ou la rendre obscure, vague ou équivoque, ce qui, dans le cas d'une démonstration, apparaît fondamental. Les phrases, de style impersonnel, courtes et rythmées, longues et composées doivent éviter les incohérences, les accumulations, les répétitions, les périphrases, l'abus d'abstractions, les notions trop spécialisées et les formules toutes faites, qui rendent la lecture malaisée et nuisent à un propos même très intéressant.

Il faut savoir que les auteurs, les critiques littéraires, etc., se désignent par leur prénom suivi de leur nom. La désignation par le nom unique correspond à une notoriété.

Les liaisons sont à soigner particulièrement. En effet, il ne faut jamais oublier, même dans le détail de la phrase, que l'on crée un ensemble démonstratif. Ainsi, l'utilisation d'expressions comme par exemple : «on en déduit que...», «par conséquent...», qui mettent l'accent sur le lien logique, est recommandée parce qu'elle contribue à évacuer les liens artificiels et à éviter tout relâchement du raisonnement. De fait, la manière de rédiger doit faire clairement apparaître les points saillants du raisonnement. En réalité, chaque phrase du devoir constituera un progrès par rapport à la précédente, dans le cadre du raisonnement général. En outre, on s'efforcera de rappeler les mots clefs du sujet ou d'y faire des allusions précises aux moments où interviennent les raisonnements proposés et même de poser des jalons, grâce à ces mots, tout au long de la dissertation pour montrer que l'on ne perd pas le sujet de vue.

Enfin, les exemples seront bien intégrés au texte de la dissertation. On ne les coupera jamais des raisonnements qu'ils sont censés mettre en valeur. L'utilisation des parenthèses, des tirets et des deux points permet par exemple de mieux y parvenir. Le point virgule, souvent absent dans les dissertations, donne quant à lui la possibilité d'éviter les chevauchements d'exemples ou de déductions.

Cela dit, l'aspect démonstratif doit être opportunément tempéré par l'utilisation de tournures comme «il semble...», «il paraît...», ou par l'emploi du conditionnel par exemple. Dans d'autres cas de figure, ce mode est également susceptible d'atténuer une affirmation ou une phrase commençant par «il est vrai...».

7. Relecture de la dissertation

Après avoir recopié la dissertation, il faut toujours garder dix ou quinze minutes pour la relire attentivement, en vérifiant la clarté du raisonnement général, l'emploi des mots et expressions, l'orthographe et la ponctuation. Quel que soit le temps imparti, la dissertation littéraire étant avant tout un exercice de synthèse, six copies semblent être la longueur maximale à conseiller, au plus haut niveau.

8. Minutage

• Si l'on dispose de 4 heures pour traiter le sujet

Analyser le sujet	20 minutes
Interroger le sujet, choisir et structurer une problématique	30 minutes
Mobiliser des connaissances spécifiques	30 minutes
Construire un plan détaillé du développement	60 minutes
Rédiger la conclusion	10 minutes
Rédiger l'introduction	10 minutes
Rédiger la dissertation	70 minutes
Relire	10 minutes

• Si l'on dispose de 5 heures pour traiter le sujet

Analyser le sujet	25 minutes
Interroger le sujet, choisir et structurer une problématique	35 minutes
Mobiliser des connaissances spécifiques	40 minutes
Construire un plan détaillé du développement	75 minutes
Rédiger la conclusion	10 minutes
Rédiger l'introduction	10 minutes
Rédiger la dissertation	90 minutes
Relire	15 minutes

• Si l'on dispose de 7 heures pour traiter le sujet

Analyser le sujet	30 minutes
Interroger le sujet, choisir et structurer une problématique	45 minutes

Mobiliser des connaissances spécifiques .... 60 minutes

Construire un plan détaillé du développement .... 90 minutes

Rédiger la conclusion .... 15 minutes

Rédiger l'introduction .... 15 minutes

Rédiger la dissertation .... 145 minutes

Relire .... 20 minutes

NB : Il est bien entendu que le minutage dépend aussi du tempérament, des points forts et faibles de chaque individu. Cela dit, il faut conserver un équilibre d'ensemble des diverses opérations et surtout éviter de se montrer en ce qui concerne chacune d'elles trop rapide ou trop lent par rapport à ce qui est conseillé.

9. Entraînement

On doit absolument s'entraîner à appliquer ces notions en s'efforçant de renoncer à ses mauvaises habitudes sans s'inquiéter des difficultés éprouvées pour ce faire au début. Cela démontre simplement que l'on est sur la bonne voie, l'impression de facilité correspondant la plupart du temps à un retour aux mauvaises habitudes...

Affronter des ambiguïtés et des paradoxes dans l'analyse du sujet, avoir du mal à sélectionner des questions de problématique pertinentes, se rendre compte de la difficulté de la mobilisation de connaissances spécifiques, achopper sur l'enchaînement précis des parties et des sous-parties de la dissertation, se poser sans cesse des questions concernant l'expression en rédigeant... autant de situations tout à fait normales étant donnée la complexité des sujets proposés aux divers niveaux et qui ne doivent pas désarçonner.

La mise au point fréquente de plans détaillés sur les trois types de sujets constitue le meilleur moyen de progresser. On compose à chaque fois un plan détaillé dont les phrases fondamentales, les transitions, la conclusion et l'introduction sont rédigées. On peut poursuivre en rédigeant également une ou deux sous-parties de la dissertation.

II. Tableau méthodologique synthétique

1. *Appréhension du sujet*

A. Analyser le sujet
a. Lecture attentive du sujet plusieurs fois
b. Sélection synthétique des mots essentiels
c. Réflexion sur leurs sens
d. Définition et approfondissement des rapports que les mots essentiels entretiennent entre eux
e. Observation de l'extension et des limites du sujet.

B. Interroger le sujet, choisir et structurer une problématique
a. Constitution d'un tableau en deux colonnes permettant de passer des interrogations sur le sujet à une problématique.
b. Regroupement dans la première colonne de toutes les questions explicites ou implicites posées par le sujet.
c. Sélection réfléchie dans la seconde colonne des deux, trois ou parfois quatre questions synthétiques essentielles posées par le sujet. Ces questions doivent pouvoir s'enchaîner entre elles.

C. Mobiliser des éléments spécifiques de réponse
Réflexions, connaissances, exemples précis analysés, dans un relevé systématique mais désordonné.

2. *Construction du plan détaillé du développement*

A. Classer en fonction du raisonnement dessiné
Chaque question de la problématique devient une grande partie du développement, ces grandes parties sont articulées entre elles ; chaque grande partie contient des sous-parties nourries par les réflexions, les connaissances et les exemples précis analysées qui lui sont appropriés.

B. Rédiger les phrases essentielles des grandes parties et des sous-parties du développement dès le brouillon, le reste apparaissant sous forme de notes.

C. Rédiger les transitions à placer entre les grandes parties, dès le brouillon

3. Rédaction de la conclusion (dès le brouillon)

A. Clore le raisonnement du développement en le faisant aboutir d'une manière nuancée et synthétique.

B. Elargir astucieusement les perspectives à partir de l'aboutissement du raisonnement.

4. Rédaction de l'introduction (dès le brouillon)

A. Accompagner le lecteur, qui n'est pas censé le connaître, au sujet :

On dégage sa nature, son intérêt, ses limites et même quelque peu les perspectives de la problématique.

B. Annoncer clairement la problématique du développement

5. Rédaction du développement

A. Soigner la présentation :

La mise en page doit refléter la clarté et la cohérence du plan.

B. Soigner l'expression :

Il faut être vigilant, car la plus grande partie du développement est à rédiger directement sur la copie (orthographe correcte, ponctuation précise, langue élégante et concrète, phrases maîtrisées, démonstration à mettre en valeur).

6. Relecture de la dissertation

A. Garder le temps nécessaire pour se relire attentivement

(clarté du raisonnement général, emploi des mots et expressions, orthographe et ponctuation).

B. Se limiter, au plus haut niveau, à six copies.

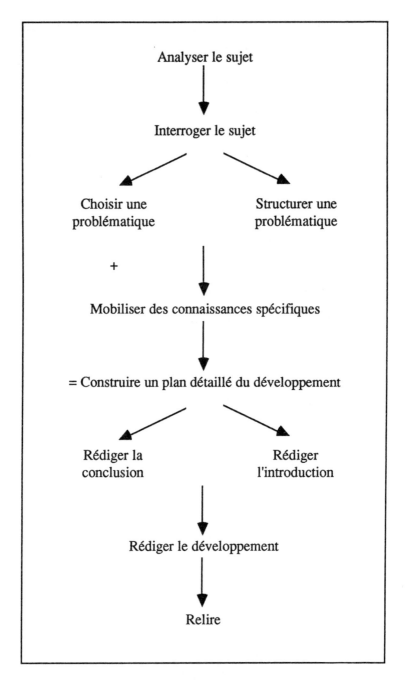

Figure 3 – Récapitulatif méthodologique général.

III. Applications intégrales

1. Sujet général

Victor Hugo a écrit dans la préface de **Cromwell** :

> «*La division du beau et du laid dans l'art ne symétrise pas avec celle de la nature. Rien n'est beau ou laid dans les arts que par l'exécution. Une chose difforme, horrible, hideuse, trans-portée avec vérité et poésie dans le domaine de l'art, deviendra belle, admirable, sublime, sans rien perdre de sa monstruosité, et, d'une autre part, les plus belles choses du monde, faussement et systématiquement arrangées dans une composition artifi-cielle seront ridicules, burlesques, hybrides, laides... Job et Philoctète avec leurs plaies saigneuses et fétides sont beaux ; les rois, les reines de Campistron sont fort laids dans leur pourpre et sous leur couronne d'oripeau. Une chose bien faite, une chose mal faite, voilà le beau et le laid dans l'art*».

Qu'en pensez-vous ?

$$* \qquad *$$
$$*$$

Analyser le sujet

Le sujet proposé n'est pas excessivement long. Procéder par regroupements de notions proches pour le cadrer en substance apparaît donc tout à fait inutile. Il est bien plus fructueux de le diviser en grandes parties dont les expressions essentielles seront sélectionnées, dans l'esprit d'une explication de texte linéaire.

La citation comprend trois parties :

Première partie : *«La division du beau... par l'exécution».*

Le maître-mot est ici «exécution». Il signifie «réalisation», mais plus exactement dans le sens employé par Victor Hugo, «manière de réaliser». Ce mot très important constitue donc une référence à la composition artistique.

Deuxième partie : *«Une chose difforme... leur couronne d'oripeau».*

Puisque des situations inverses menant à la même conclusion sont évoquées, on retiendra surtout dans cette partie «Une chose difforme... transportée avec vérité et poésie dans le domaine de l'art, deviendra belle... sans rien perdre de sa monstruosité...», ainsi que les termes «systématiquement» et «composition artificielle», qui sont péjoratifs et renvoient déjà à la troisième partie de la citation.

«Difforme» et tous les mots qui le suivent insistent sur tous les modes et degrés de la laideur. On note ensuite que l'exécution artistique coïncide avec la vérité et la poésie. Enfin, il est à remarquer que le terme «monstruosité» illustre le degré extrême de la laideur que l'on montre. L'adverbe «systématiquement» signifie «automatiquement et catégoriquement conforme à une théorie, une doctrine, un dogme». Il introduit l'idée d'une imperméabilité aux autres manières de créer.

L'expression «composition artificielle» semble être comme la conséquence de cet adverbe. Le mot «composition» reprend «exécution». L'adjectif «artificiel» veut dire «factice», et plus exactement «dont on sent la fabrication». Il fait écho à «faussement».

Troisième partie : *«Une chose bien faite... dans l'art»*

Il s'agit d'une conclusion au raisonnement. Elle reprend la phrase «Rien n'est beau ou laid dans les arts que par l'exécution». La citation forme donc une sorte de cercle.

Il faut garder à l'esprit les rapports entre :

– «difforme», «belle» et «sans rien perdre de sa monstruosité», parce qu'en définissant une interprétation du beau et du laid dans l'art, ils introduisent non seulement l'idée d'un mélange des genres, mais encore une vision du monde propre à Victor Hugo,

– et également entre «chose bien faite» et «beau», «chose mal faite» et «laid», parce qu'ils ponctuent clairement le raisonnement exposé par Victor Hugo d'une manière d'ailleurs assez polémique ; tout un passage de la grande phrase qui précède l'annonçait déjà. A noter dans cet ordre d'idées, la répétition du participe «faite».

Interroger le sujet, choisir et structurer une problématique

Interrogations		Problématique
Pourquoi Victor Hugo est-il si catégorique dans cette citation ?	→	question trop spécifique ; point évoquer dans un ensemble significatif.
Quel sens profond le poète donne-t-il au terme «exécution» ?	→	**première partie**
Que recouvrent l'adverbe «systématiquement» et l'expression «composition artificielle» ? A qui Victor Hugo s'adresse-t-il en fait ?	→	**à lier pour une troisième partie**
Quel rapport le poète instaure-t-il entre vérité, poésie et art ?	→	point à évoquer dans un ensemble significatif.
Est-il possible de décrire le laid en le transformant en beau, tout en lui gardant sa «monstruosité» ?	→	**deuxième partie**
Quelle vision du monde et de l'art Victor Hugo a-t-il ?	→	question trop générale.

La problématique choisie est donc :

1. Quel sens profond le poète donne-t-il au terme «exécution» ?

2. Est-il possible de décrire le laid en le transformant en beau, tout en lui gardant sa «monstruosité» ?

3. Que recouvrent l'adverbe «systématiquement», l'expression «composition artificielle» et à qui s'adressent-ils ?

Cette problématique permet de suivre, de comprendre et de discuter le raisonnement de Victor Hugo au fur et à mesure de sa progression. Elle facilitera les transitions. Il faut la garder perpétuellement à l'esprit pour mobiliser ses connaissances.

Mobiliser les connaissances

– Contraintes dans les œuvres classiques
- Même si personnages sujets à la contradiction (Rodrigue) ou à l'ambiguïté (Don Juan), ils sont rarement nuancés ou surprenants car pas de mélange des genres.
- De ce fait, situations souvent invraisemblables.
- Règles ne permettent pas d'exploiter sujets antiques ou mythologiques utilisés.

Victor Hugo attaque la rigidité classique, systématique et artificielle au point d'effacer la vérité profonde.

– Le poète oppose le beau et le laid dans la nature et dans l'art. C'est cette coupure que le mot «exécution» explique.

approfondissement
- Classiques jamais parvenus à acquérir indépendance à l'égard de la nature.
- Exécution = référence au talent de l'artiste.
- Artiste transmet sa vision du monde.

– Condamnation de Victor Hugo assez exagérée. Certaines pièces classiques reflètent un jeu beau/laid et aussi un mélange des genres : *Le Cid - Le Menteur - L'Illusion Comique* (baroque).

Que veut-il dire en réalité ?
- En réalité, V. Hugo attaque un type d'esprit univoque (exemple de l'abbé d'Aubignac ou de Crébillon : «Corneille a choisi le ciel, Racine la terre. Moi, je choisis l'enfer»), mais aussi les prétextes des néo-classiques pour dénigrer les romantiques.

Quel témoignage «l'exécution» apporte-t-elle ?	• Ponctuation de la pensée du poète dans la dernière phrase : «une chose bien faite, une chose mal faite, voilà le beau et le laid dans l'art». Forme privilégiée. Elle est le témoignage de la vision et du talent de l'artiste qui se livrent à une transfiguration. Répétition pour insister sur le participe «faite».

– Séparation nature/art = fait de la création artistique qui génère l'indépendance.

Approfondissement et exemple	• Artiste métamorphose nature • Créateur procède à une alchimie magique du sensible pour transmuter le laid naturel en beau artistique et signifier. Pour C. Baudelaire, l'artiste «proteste contre la nature». • Exemple du tableau de F. Goya *Tres de Mayo*, scène horrible d'exécution, beauté de la composition.

– L'alchimie magique des mots de l'artiste crée un rapport d'intelligence avec le lecteur ou le spectateur, c'est-à-dire une intersubjectivité.

Approfondissement et exemple	• Conscience que l'artiste crée un monde imaginaire et profondément vrai à la fois car poésie n'exclut pas réalité. • Exemple de *Notre Dame de Paris* de V. Hugo, personnage de Quasimodo : horreur physique et amour passionné.

– Exemple précis analysé

- *Salammbô* de G. Flaubert. La beuverie des mercenaires qui attendent d'être payés par Carthage. Etres ignobles mais scène suggestive et colorée donc esthétique, attirante. Rappel de la définition de la poésie de l'avenir selon Diderot : «énorme, grandiose, sauvage et barbare».

– Exemple précis analysé

- *Lorenzaccio* d'A. de Musset. Lorenzo anti-héros meurtrier, méprisable, mais beau car il sacrifie sa vie pour la liberté. De plus, l'auteur lui confère une poésie naturelle. Dans la même pièce, devant l'empoisonnement et l'emprisonnement dont sont victimes ses enfants, au paroxysme de la douleur, Philippe Strozzi devient égoïste : «Pas mes enfants». Mais il est beau car humain.

Plan

1. L'art et la nature s'opposent, bien qu'ils témoignent respectivement des mêmes valeurs.

   A. Le beau dans la nature ne correspond pas au beau dans l'art et pareillement pour le laid.

   B. La séparation entre la nature et l'art est le fait de l'action créatrice de l'artiste.

2. *Mais* un personnage ou un élément négatifs peuvent être transformés positivement grâce à l'art, tout en conservant au premier degré leur laideur.

   A. L'analyse de plusieurs exemples précis le démontre (*Lorenzaccio* de Musset, *Salammbô* de Flaubert).

   B. Grâce à l'alchimie magique de l'artiste, une intersubjectivité se crée entre le lecteur et le créateur.

3. *En fait* le poète s'oppose à une rigidité classique qui en copiant la nature d'une manière univoque finit paradoxalement par effacer toute vérité profonde et mène à l'artifice.

   A. Certains principes, il est vrai, contraignent les œuvres classiques (absence de mélange des genres, invraisemblance des situations, règles).

   B. Quoi qu'il en soit, la condamnation de Victor Hugo semble un peu exagérée (ex. : Corneille *Le Cid, Le Menteur, L'Illusion comique*).

Plan détaillé du développement

1. Les deux premières phrases de Victor Hugo insistent sur une sorte d'opposition entre l'art et la nature bien qu'ils témoignent respectivement des mêmes valeurs, c'est-à-dire le beau et le laid.

   A. Cette coupure, cet antagonisme proviennent du fait qu'au beau dans la nature ne correspond pas le beau dans l'art et pareillement pour le laid. Le mot «exécution» souligne cette contradiction.

Notes à rédiger : – classiques jamais parvenus à acquérir indépendance à l'égard de la nature.

– exécution = référence au talent de l'artiste

– artiste transmet sa vision du monde

B. La séparation entre la nature et l'art est donc le fait de l'action créatrice de l'artiste, qui va engendrer une œuvre indépendante.

Notes à rédiger : – Artiste métamorphose nature

– Créateur procède à une alchimie magique du sensible pour transmuter laid naturel en beau artistique et signifier. Pour C. Baudelaire, l'artiste «proteste contre la nature».

– Exemple du tableau de F. Goya *Tres de Mayo*, scène horrible d'exécution, beauté de la composition.

Transition : mais Victor Hugo va plus loin : «*Une chose difforme, horrible, hideuse, transportée avec vérité et poésie dans le domaine de l'art deviendra belle, admirable, sublime, sans rien perdre de sa monstruosité...*»

* *
*

2. La «chose» qui va en effet se transformer sous le regard de l'artiste n'effectuera pas, selon le poète, un passage systématique du laid au beau. L'échelle des valeurs ne sera ainsi ni renversée, ni transgressée. Mais un personnage ou un élément négatifs pourront se transformer positivement grâce à l'art, dans un contexte historique, psychologique ou humain donné et revêtir une signification, tout en conservant au premier degré leur laideur.

A. L'analyse de plusieurs exemples précis le démontre.

Notes à rédiger : – *Lorenzaccio* d'A. de Musset. Lorenzo anti-héros meurtrier, méprisable, mais beau car sacrifie sa vie pour la liberté. De plus l'auteur lui confère une poésie naturelle. Dans la même pièce, devant l'empoisonnement et l'emprisonnement dont sont victimes ses enfants, au paroxysme de la douleur, Philippe Strozzi devient égoïste : «Pas mes enfants». Mais il est beau car humain.

– *Salammbô* de G. Flaubert. La beuverie des mercenaires qui attendent d'être payés par Carthage. Etres ignobles mais scène suggestive et colorée donc esthétique, attirante. Rappel de la définition de la poésie de l'avenir selon Diderot : «énorme, grandiose, sauvage et barbare».

B. Grâce à l'alchimie magique des mots de l'artiste, il naît une sorte de solidarité entre le lecteur, le spectateur et le créateur, qui débouche sur un rapport d'intelligence, une sorte d'intersubjectivité.

Notes à rédiger : – Conscience que l'artiste crée un monde imaginaire et profondément vrai à la fois car poésie n'exclut pas la réalité.

– Exemple de *Notre Dame de Paris* de V. Hugo lui-même. Le personnage de Quasimodo : horreur physique et amour passionné.

Transition : Le même Victor Hugo en arrive d'ailleurs dans la citation proposée à critiquer les auteurs chez lesquels cette alchimie magique, qui mène à l'essentiel, n'existe pas.

*   *
*

3. Le poète s'oppose *en fait* à une certaine rigidité classique qui finit par effacer toute vérité profonde dans l'œuvre en s'efforçant paradoxalement de copier la nature d'une manière univoque. Elle mène à la systématisation et à la «composition artificielle».

A. Certains principes, il est vrai, contraignent les œuvres classiques.

Notes à rédiger : – Même si personnages sujets à la contradiction (Rodrigue) ou à l'ambiguïté (Don Juan), ils sont rarement nuancés ou surprenants car pas de mélange des genres.

– De ce fait, situations souvent invraisemblables.

– Règles ne permettent pas d'exploiter sujets antiques ou mythologiques utilisés.

B. Quoi qu'il en soit, la condamnation de Victor Hugo semble un peu exagérée dans la mesure où certaines pièces dites classiques reflètent non seulement un jeu artistique entre le beau et le laid -Rodrigue ne reste-t-il pas beau malgré le meurtre de Don Gormas dans Le Cid ? - mais aussi le mélange des genres -*Le Menteur* et *L'Illusion comique*, pièces baroques de Corneille, n'en témoignent-elles pas ?

Notes à rédiger : – En réalité, V. Hugo attaque un type d'esprit univoque (exemples de l'abbé d'Aubignac ou de Crébillon : «Corneille a choisi le ciel, Racine la terre. Moi, je choisis l'enfer»), mais aussi les prétextes des néo-classiques pour dénigrer les romantiques.

– Ponctuation de la pensée du poète dans la dernière phrase : «Une chose bien faite, une chose mal faite, voilà le beau et le laid dans l'art». Forme privilégiée. Elle est le témoignage de la vision et du talent de l'artiste qui se livrent à une transfiguration. Répétition pour insister sur le participe «faite».

Rédaction de la conclusion et de l'introduction

- **Conclusion**

– *Aboutissement du raisonnement*

En fait, ces réflexions de Victor Hugo permettent de mieux comprendre les mécanismes de sa poétique. Pour le poète, l'écriture en tant que telle est à l'origine de la transfiguration qui constitue le centre de l'activité du créateur et fait de lui un voyant et même un visionnaire.

– *Elargissement des perspectives*

Cette émergence de la primauté de l'écriture dans la création littéraire a d'ailleurs conduit certains écrivains, au-delà du culte de la forme, dans des directions et des problématiques très modernes. Le rêve de Gustave Flaubert n'était-il pas d'écrire «un roman sur rien», soutenu par sa seule forme ?

- **Introduction**

- *Présentation du sujet*

Quel est l'apport du romantisme ? Que ce soit dans le roman, la poésie, le théâtre ou la peinture, ce mouvement littéraire et artistique a fait naître une sorte de renouveau fondé sur une réflexion concernant l'écriture. L'un des chefs de file de la génération romantique fut Victor Hugo qui, dans la préface d'un de ses drames romantiques, Cromwell, livre ses conceptions sur le beau et le laid dans l'art : «*La division du beau et du laid dans l'art ne symétrise pas avec celle de la nature. Rien n'est beau ou laid dans les arts que par l'exécution. Une chose difforme, horrible, hideuse, transportée avec vérité et poésie dans le domaine de l'art, deviendra belle, admirable, sublime, san rien perdre de sa monstruosité, et, d'une autre part, les plus belles choses du monde, faussement et systématiquement arrangées dans une composition artificielle seront ridicules, burlesques, hybrides, laides... Job et Philoctète avec leurs plaies saigneuses et fétides sont beaux ; les rois et les reines de Campistron sont fort laids dans leur pourpre et sous leur couronne d'oripeau. Une chose bien faite, une chose mal faite, voilà le beau et le laid dans l'art*».

- *Annonce de la problématique du développement*

Les trois parties de ce texte conséquent suscitent des questions précises :

Quel sens profond le poète donne-t-il au terme «exécution» ?

Est-il possible de décrire le laid en le transformant en beau, tout en lui gardant sa «monstruosité» ?

Enfin, que recouvrent les termes «systématiquement» et «composition artificielle» et à qui s'adressent-ils ?

Développement

Les deux premières phrases de Victor Hugo insistent sur une sorte d'opposition entre l'art et la nature, bien qu'ils témoignent respectivement des mêmes valeurs, c'est-à-dire le beau et le laid.

Cette coupure, cet antagonisme proviennent du fait qu'au beau dans la nature ne correspond pas le beau dans l'art et pareillement pour le laid. Le mot «exécution» souligne cette contradiction. Les classiques s'efforçaient «de suivre la nature en toute chose» ; ils l'ont fait pour créer le beau ; cependant, ils ne sont jamais pleinement parvenus à acquérir une indépendance à l'égard de la nature. Les nouvelles générations, au contraire vont à la fois admirer la nature et s'en détacher. «L'exécution» qu'évoque Victor Hugo et qui, selon lui, fait seule le beau et le laid, constitue, semble-t-il, une référence au travail, au talent, et peut-être même au génie de l'artiste dans sa création. Qu'il s'agisse d'un roman, d'un poème ou d'un tableau, l'artiste ne peut se contenter de copier ce qui l'entoure. Il doit en effet transmettre avant tout l'esprit dans lequel il a décidé de créer l'œuvre, c'est-à-dire en quelque sorte sa vision du monde.

La séparation entre la nature et l'art est donc le fait de l'action créatrice de l'artiste, qui va engendrer une œuvre indépendante. Le travail, le talent, le génie de l'artiste vont transformer et même parfois métamorphoser, d'une certaine manière, la nature. Mais, pour modifier les objets qui l'entourent, la subjectivité du créateur se doit de les observer et de les pénétrer au plus profond de leur signification. C'est ainsi qu'à l'issue d'une espèce d'alchimie magique du sensible, l'objet, devenant le bien propre du poète, parvient à signifier. Grâce à ce processus qui lui est propre, l'artiste va être capable de transmuter le laid naturel en beau artistique. Charles Baudelaire fait allusion à cette transmutation quand il affirme que le véritable artiste «proteste contre la nature». Même si le fond de ce que le créateur désire exprimer se révèle laid et horrible, l'art suprêmement maîtrisé rendra belle une laideur. L'exemple du fameux tableau de Francisco Goya *Tres de Mayo*, qui montre des patriotes espagnols fusillés par des soldats de la grande armée, apparaît à ce titre tout à fait significatif. La scène certes est sanglante, impitoyable, mais elle est présentée d'une manière si limpide et ses couleurs sont si criantes qu'elle devient un magnifique témoignage d'indignation et une dénonciation pleine d'humanité de l'injustice.

Mais Victor Hugo va plus loin : «*Une chose difforme, horrible, hideuse, transportée avec vérité et poésie dans le domaine de l'art deviendra belle, admirable, sublime sans rien perdre de sa monstruosité*».

*   *
*

La «Chose» qui va en effet se transformer sous le regard de l'artiste n'effectuera pas, selon le poète, un passage systématique du laid au beau. L'échelle des valeurs ne sera ainsi ni renversée ni transgressée. Mais un personnage ou un élément négatifs pourront se transformer positivement grâce à l'art dans un contexte historique, psychologique ou humain donné et revêtir une signification, tout en conservant au premier degré leur laideur.

L'analyse de plusieurs exemples précis le démontre. Dans *Lorenzaccio* d'Alfred de Musset, le personnage principal, Lorenzo, anti-héros lâche, débauché, intrigant et meurtrier demeure certes méprisable, pourtant il est indéniable qu'il témoigne d'une certaine beauté, dans la mesure où l'auteur lui confère une sorte de poésie naturelle, qui émane de lui malgré ses vices. Dans la même pièce, l'empoisonnement de Louise Strozzi et l'emprisonnement des deux fils de Philippe Strozzi sont des événements horribles dont Alfred de Musset s'est servi pour montrer qu'au paroxysme de la douleur, un père, même sublime, exprime l'égoïsme le plus pur : «Pas mes enfants». Mais même si cet égoïsme demeure, Philippe Strozzi est beau dans la mesure où il est avant tout humain.

Dans *Salammbô*, l'archéologue de l'antiquité qu'est Gustave Flaubert reconstitue un banquet, une beuverie à laquelle prennent part tous les mercenaires qui attendent d'être payés par Carthage. Ce sont dans l'ensemble des êtres frustes, ignobles et prêts à tout pour de l'argent. La scène est cependant imposante, suggestive, attirante. Le romancier réussit dans ce passage un tour de force. A l'aide de détails historiques véridiques -il avait en effet compulsé plus de 1 500 volumes et fait un voyage en Afrique du nord- concernant les vêtements, les armes, le mobilier, les mets et également grâce à un jeu de sonorités étudiées, Gustave Flaubert nous ouvre un monde insolite, bigarré, résonnant des cris de ces grossiers soudards. Cet univers, bien qu'il reste terrifiant, devient esthétique. Il témoigne d'ailleurs de la poésie de l'avenir selon Diderot : «énorme, grandiose, sauvage et barbare».

Grâce à l'alchimie magique des mots de l'artiste, il naît une sorte de solidarité entre le lecteur, le spectateur et le créateur, qui débouche sur un rapport d'intelligence, une sorte d'intersubjectivité. Le lecteur ou le spectateur comprennent que l'artiste, libéré de la nature, est à même de créer un autre monde à la fois imaginaire et plus vrai que le vrai, puisque les transformations opérées par le créateur font émerger des significations profondes qui deviennent la vérité, une vérité d'autant plus convaincante que la poésie n'exclut jamais la réalité. Victor Hugo donne sans doute lui-même le meilleur exemple de cette analyse. En effet, dans *Notre Dame de Paris,* il a peint un être grossier, grotesque et physiquement horrible en la personne de Quasimodo le bossu. Ce personnage difforme, décrit avec un réalisme parfois insoutenable, et dont la laideur reste toujours présente, est cependant beau dans sa vérité. Poignant, il se révèle en effet prêt à tout pour sauver Esméralda, la bohémienne dont il est passionnément amoureux.

Le même Victor Hugo en arrive d'ailleurs dans la citation proposée à critiquer les auteurs chez lesquels cette alchimie magique, qui mène à l'essentiel, n'existe pas.

*   *

*

Le poète s'oppose en fait à une certaine rigidité classique qui finit par effacer toute vérité profonde dans l'œuvre en s'efforçant paradoxalement de copier la nature d'une manière univoque. Elle mène à la systématisation et à la «composition artificielle».

Certains principes, il est vrai, contraignent les œuvres classiques. Leurs personnages, s'ils sont parfois, comme Rodrigue dans *Le Cid*, partagés entre des sentiments contradictoires, ou caractérisés par l'ambiguïté, comme le Don Juan de Molière, sont rarement nuancés ou surprenants, puisque dans cet univers le mélange des genres n'existe généralement pas. En outre, les situations sur lesquelles reposent les œuvres classiques sont souvent invraisemblables de ce fait. De plus, les fameuses règles d'action, de lieu et de temps appliquées dans ces mêmes œuvres détruisent dans une certaine mesure la possibilité d'exploiter d'une manière satisfaisante les sujets mythologiques ou antiques utilisés. Quoi qu'il en soit, la condamnation de Victor Hugo semble un peu exagérée dans la mesure où certaines pièces dites classiques témoignent non seulement du jeu artistique entre le beau et le laid -Rodrigue ne reste-t-il pas beau malgré le meurtre de Don Gomas dans *Le Cid* ? -mais aussi du mélange des genres -*Le Menteur* et *L'Illusion comique*, pièces baroques de Corneille, le démontrent -.

En réalité, il semble que les attaques de Victor Hugo, même si elles touchent dans une certaine mesure les grands classiques, veuillent surtout atteindre les travers d'un certain type de création. L'exemple de Campistron l'atteste. L'abbé d'Aubignac ou Crébillon qui affirmait : «Corneille a choisi le ciel, Racine la terre. Moi je choisis l'enfer» et écrivait des pièces effroyables, peuvent constituer d'autres exemples de ce type d'esprit univoque. Cette analyse constitue aussi un moyen de rejeter les prétextes étriqués des néo-classiques pour dénigrer avec mauvaise foi les créateurs romantiques. Désireux de ponctuer sa pensée, le poète en revient d'ailleurs au terme fondamental de la création, «l'exécution» : «Une chose bien faite, une chose mal faite, voilà le beau et le laid dans l'art»... Ainsi, se dégage de cette citation une espèce de culte de la forme, opposée à un fond finalement plus indifférent. Qu'importe en fin de compte que le fond soit beau ou laid, ce sont la vision et le talent de l'artiste qui décident, le projet et la technique du créateur qui déterminent le beau dans l'art et la transfiguration qu'il représente. Et à cet égard, la répétition du participe «faite» est particulièrement significative.

*   *

*

2. Sujet portant sur un auteur et une œuvre

Roland Barthes a écrit à propos de Voltaire :

> «*Nul mieux que lui n'a donné au combat de la Raison l'allure d'une fête*». *Candide*, le conte philosophique le plus célèbre de Voltaire illustre-t-il selon vous cette analyse ?

*   *

*

Analyser le sujet

Deux expressions sont à retenir dans la phrase de Roland Barthes : «combat de la Raison», «allure de fête».

Dans ces expressions, trois mots apparaissent importants : «Raison», «allure», «fête». Leurs sens doivent être approfondis. Le terme «Raison» se réfère au XVIIIe siècle et à la Philosophie des Lumières. Il faut donc le considérer en opposition implicite avec le même terme au XVIIe siècle. En effet au siècle de Voltaire la vérité n'est plus donnée avec la Raison comme au siècle de Descartes. La raison des philosophes du XVIIIe siècle est liée à l'expérience et son objectif est de vérifier la tradition et l'autorité.

Le mot «allure» possède lui aussi deux sens. Ils sont assez contradictoires puisque le premier renvoie à aspect et le second à apparence. Le fait que le mot «allure» signifie également rythme, augmente sa complexité et par là même son rayonnement dans la citation.

Enfin, le terme «fête» dont le sens correspond à un ensemble de réjouissances, mérite d'être approfondi par une référence au XVIe siècle, où il occupe une place privilégiée. A cette époque, il suggère le carnaval, la création d'un autre monde à la fois comique, subversif et régénérateur.

Il faut bien remarquer que le rapprochement des mots «combat» et «Raison» dans l'expression «combat de la Raison» fait allusion à la Littérature militante au XVIIIe siècle.

La mise en rapport des deux expressions de la citation retenues est très fructueuse, puisqu'elle met l'accent sur une sorte d'égalité entre «combat de la Raison» et «allure de fête». L'analyse sémantique précédemment exécutée permet d'affiner la relation. Ainsi, dans *Candide* le combat d'une nouvelle Raison, celle du XVIIIe siècle, aurait l'aspect, dont le rythme est une facette, d'une réjouissance. Mais le second sens du mot allure suggère aussi que ce combat de la Raison aurait uniquement l'apparence d'une réjouissance.

Il apparaît donc que le sujet, étant donnée l'ambiguïté soulignée à dessein implicitement par Roland Barthes, ne peut et ne doit pas conduire à une illustration pure et simple de ce qui est avancé, mais à une réflexion productive sur l'équivoque de la fête voltairienne de *Candide*.

Interroger le sujet, choisir et structurer une problématique

Interrogations		Problématique
Quels sont les mécanismes d'écriture de Voltaire dans *Candide* ?	→	Question importante, mais posée d'une manière trop descriptive ; mal reliée au sujet.
Comment tous les caractères de la «fête» servent-ils la «Raison» ?	→	**Première partie**
Où se trouve l'ironie du conte et pourquoi ?	→	Question liée aux mécanismes d'écriture dont l'ironie constitue le trait essentiel. Le

		pourquoi est cependant à considérer à l'issue du raisonnement.
Quelles sont les caractéristiques de la forme de *Candide* ?	→	Question déjà posée sous une autre forme et écartée.
N'y a-t-il pas un rapport privilégié entre les notions de «fête», de «Raison» et de bourgeoisie dans Candide ?	→	Idée à retenir et à considérer sans doute à l'issue de la dissertation, mais ne pouvant constituer la substance d'une grande partie.
Comment *Candide* doit-il être lu ?	→	Question fondamentale introduisant le statut du lecteur, mais à poser à un stade avancé de l'analyse.
Où se trouve la subversion dans la «fête» de *Candide* ?	→	Question intéressante, mais ne reprenant pas vraiment les termes du sujet et manquant de synthèse.
N'y a-t-il pas dans Candide une vraie «fête de la Raison» ?	→	Idée à retenir et à considérer sans doute, mais ne pouvant constituer la substance d'une grande partie.
Comment la «Raison» travaille-t-elle sous la «fête» ?	→	**Seconde partie**
Pourquoi mystifier la fiction dans *Candide* ?	→	Question explicitant uniquement le choix de Voltaire
Y a-t-il «fête» dans la narration de *Candide* ?	→	Idée importante, sans doute à approfondir dans un second temps de la réflexion.
Quelle est la fonction du rythme dans *Candide* ?	→	Question à poser, mais trop spécifique.
Quelle fonction Voltaire donne-t-il aux personnages du conte ?	→	Question légitime, mais ne mettant en valeur qu'un élément.

La problématique choisie est donc :

1. Comment tous les caractères de la «fête» servent-ils la «Raison» ?

2. Comment la «Raison» travaille-t-elle sous la «fête» ?

Cette problématique suit de très près à la fois la lettre et l'esprit du sujet en reprenant efficacement ses termes. En outre, chacune des questions reflète la synthèse. Il va être en effet possible d'aborder successivement et en les liant logiquement les deux éléments implicitement mis en cause par Roland Barthes : l'écriture et la lecture du conte dans tous les aspects dont ils témoignent et les ambiguïtés qu'ils suscitent souvent. Dans cette optique, il ne faut pas oublier qu'un certain nombre de questions écartées constituent de précieuses indications pour mobiliser les connaissances nécessaires et construire les sous-parties.

Mobiliser les connaissances

– Dans *Candide*, la vraie fête se joue dans la narration :

      – Deux mascarades dans narration

Approfon-dissement et exemples

- mascarade de l'auteur : refus d'assumer son écriture qui fait penser au «larvatus prodeo» de Descartes. *Candide* : «traduit de l'allemand de M. le docteur Ralph». Attitude liée à l'enjeu du combat.

- Mascarade de l'écriture : jeu entre le dit (fête, explicite) et le non dit (raison, implicite).

  Passage du chap. XX explique le processus utilisé : «On aperçoit deux vaisseaux... Le vent les amena l'un et l'autre si près du vaisseau français, qu'on eut le plaisir de voir le combat tout à son aise». «Apercevoir», «plaisir», «voir», «tout à son aise» évoquent le spectacle et l'«allure de fête». Mais ensuite : «Eh bien, dit Martin, voilà comme les hommes se traitent les uns les autres». Spectacle interprété dans le cadre de la raison. Le dit : allure de fête, le non dit : apparence de fête ; le dit est le masque du non dit, le non dit démasque le dit. C'est le fonctionnement de l'ironie et la véritable position de la fête par rapport à la raison.

– Il n'y a pas de fête dans la fiction, mais apparence de fête :

Approfon-dissement et exemples

– Termes «spectacle», «mascarade» suggèrent la sépa-ration entre acteurs et spectateurs. C'est le premier caractère contraire à la fête.

– Emploi de la satire dans la narration, qui pose auteur et lecteur en spectateurs ; l'auteur se place en dehors de sa raillerie. Donc c'est l'auteur qui rend la fiction risible pour lecteur.

Personnages ne vivent pas la fête.

Séparation entre fiction et narration = deuxième carac-tère contraire à la fête.

(Seule fête possible dans Candide : celle des malheurs extérieurs dans la première partie, des malheurs inté-rieurs dans la seconde partie, c'est-à-dire des «cha-grins secrets». Or il n'y ni chagrins, ni individualité dans la fête. Accentuation de la contradiction).

– Pas de rénovation universelle, pas d'ébranlement des fondements de la société et de la morale.

Voltaire veut seulement promouvoir la bourgeoisie. Pas de jeu subversif de la fête entre deux mondes comme chez Rabelais (Prologues). Voltaire retient les caractères formels de la fête ; pas d'autonomie de la fête ; plus d'esprit de la fête.

– Il y a deux conceptions successives de la Raison : au XVIIe siècle, la vérité est donnée avec la Raison, au XVIIIe siècle, la Raison doit découvrir et établir la vérité.

Approfon-dissement et exemples

– Raison liée à l'expérience, non plus à la transcendance

– Ses objectifs : vérifier la tradition et l'autorité (dog-mes, morale du christianisme, institutions politiques et sociales).

– Au XVIIIe siècle, combat de la raison, car littérature se veut militante.

– Donc transformation quantitative et qualitative.

Au XVIIIe siècle, l'écriture n'est plus seulement un art, mais aussi un moyen :

**Approfon-
dissement
et
exemples**

– Moyen pas uniforme. Deux types d'écriture :
- écriture directement philosophique et didactique sans équivoque ex : *L'esprit des Lois* Montesquieu
- écriture médiatement philosophique, «fictive». exs : *Les Lettres Persanes* Montesquieu – *Candide* Voltaire.

– Problème : pourquoi mystifier la fiction ? Les philosophes du XVIII⁰ siècle ont souvent opposé fable et raison.

ex : Voltaire *Dictionnaire Philosophique* «Au commencement était la Fable, à la fin viendra la Raison». Mais dans l'*Ingénu* : «J'aime les fables des Philosophes».

– En fait distinction de Voltaire entre deux raisons : la raison fondée sur esprit de système et la raison lockéenne fondée sur l'expérience.

– Recours à la seconde écriture pour montrer dans *Candide* l'absurdité des systèmes. Conte = banc d'essai.

– C'est la forme qui fait la spécificité de *Candide*.

**Approfon-
dissement
et
exemples**

– Voltaire supprime tous les raisonnements du texte et dévalorise le verbe «raisonner», ex : fin chap. XXI quand Candide va parler du libre-arbitre.

– La forme fait naître le fond et fusionne raison et fiction. C'est ce que R. Barthes appelle «allure de fête».

– Sens de fête ? Celui du XVI⁰ siècle. Référence : Rabelais ; fête carnavalesque, création d'un autre monde ; *monde comique* caractérisé par l'indifférenciation et la relativité, donc *monde subversif* : plus de hiérarchie, parodie, destruction, mais aussi *monde régénérateur*, résurrection d'une forme idéale de vie avec un nouveau type de communication. Dans ce monde pas de séparation entre fiction et narration. Rabelais est un narrateur inscrit dans fiction du texte.

– Utilisation de l'ironie. Voltaire met en valeur un dit qui suggère que le lecteur doit privilégier un non dit.

– Le dit demande contre-lecture. Pour le lecteur, la raison ne peut naître que de la fête.

**Approfon-
dissement
et
exemples**

- Le non dit et l'ironie ne sont pas superposables. Le lecteur, après avoir lu le dit et le non dit, doit faire une troisième lecture les réunissant tous deux pour trouver l'ironie. Ironie = ce qui lie sens apparent et sens profond. Voir cette consubstantialité c'est retrouver le processus d'écriture du texte.

- Ironie = appel à la générosité du lecteur qui lui évite de s'égarer.

Voltaire : «Les livres les plus utiles sont ceux dont les lecteurs font eux-mêmes la moitié».

Lecteur devient créateur du texte, dénonce ses contradictions et se modifie lui-même ; le plaisir se trouve dans la réécriture du texte. Si refus du lecteur de recréer le texte, refus de l'auteur d'assumer la création du texte et réduction du conte au sens apparent : «allure de fête», sans subversion et ironie.

- Autre sens du mot «allure», celui de rythme. Dans Candide, la fête, c'est aussi un rythme tourbillonnant sans temps morts ou temps faibles, un rythme de farandole.

**Approfon-
dissement
et
exemples**

- Descriptions ou analyse des sentiments éliminés.

- Accélération constante, disproportion entre temps-espace de la fiction et temps-espace de la narration ex : chap. XIII «On envoya sans perdre temps un vaisseau à leur poursuite .Le vaisseau était déjà dans le port de Buenos-Aires». De même quand les personnages parlent ex : chap. XII, la vieille «*A peine* les janissaires eurent-ils fait le repas que nous leur avions fourni *que* les russes arrivèrent sur des bateaux plats ; *il ne réchappa pas un seul janissaire*».

- Double fonction du rythme dans l'œuvre :
  • attaquer toute forme d'optimisme par accumulation de malheurs.
  • combattre tout système de cause à effet en substituant le hasard à la providence.

- *Candide* permet deux lectures, celle des nobles et celles des bourgeois. Dans la première, le texte reste fermé, dans la seconde, le lecteur doit réécrire le texte. La seconde lecture permet l'ironie, l'équivoque du texte.

Approfon-dissement et exemples	– Derrière la consubstantialité entre fête et raison, un autre combat, celui de la bourgeoisie. Bourgeoisie inséparable de la raison. Optimisme et métaphysique attaqués au nom de la bourgeoisie, car ils sont les fondements de l'ordre établi. Métaphysique = science des mots. Optimisme = conservation et immobilisme, refus du changement. Impostures religieuse (protestants de Hollande, catholiques de l'Inquisition) et monarchique liées. L'Eglise empêche la liberté de pensée et protège le despotisme.

– Pas d'intériorité des personnages. Ce sont des marionnettes qui évoluent sur un rythme brisé.

Approfon-dissement et exemples	– Parataxes, phrases très courtes sans subordonnées, présent dramatique. – Satire, ex : exercice et recrutement bulgare. Esthétique de guignol ; ex : chap. III «théâtre de la guerre», chap. VI «spectacle» de l'autodafé. – Monde = scène comique où tout est possible : résurrections (Cunégonde, Pangloss, Baron), jeu sur la crédulité du lecteur, jeu sur la vie et la mort (… ex chap. XXIX Candide et le Baron «Je te retuerais…» «Tu peux me tuer encore»…). – Mort comme éliminée du texte pour n'être que plus présente, ex chap. III «des vieillards criblés de coups regardaient mourir leurs femmes égorgées… des filles éventrées… rendaient leurs derniers soupirs, d'autres à demi brûlées criaient qu'on achevât de leur donner la mort». – Les personnages subsistent malgré les malheurs (défigurations, mutilations) pour témoigner de l'existence du mal.

– Ces personnages sont en fait des masques.

	– Personnages interchangeables pour réfuter le «meilleur des mondes possibles», mais ont aussi des rôles particuliers ex Candide : procès du principe d'autorité et de pouvoir dans l'éducation et de l'inexpérience ; Pangloss : procès de tout système métaphysique.

Approfondissement et exemples

- Noms fixent les masques comme dans Commedia dell'arte. Les masques mettent tous les personnages sur un pied d'égalité, ex épisode de Venise : mascarade inscrite dans fiction, mise en valeur par la durée du récit ; absence du mot «rois» dans le titre. Subversion permise par la fête inscrite dans fiction. Candide offre un diamant de «2 000 sequins» au roi Théodore, puis quand les quatre autres rois arrivent à l'hôtellerie, il ne fait pas attention à «ces nouveaux venus».
- L'argent d'Eldorado avait donné à Candide un statut de bourgeois, le carnaval de Venise lui permet d'opérer un renversement des valeurs entre noblesse et bourgeoisie.

– C'est la prédominance du combat en faveur de la bourgeoisie qui explique les deux temps morts du conte : Eldorado et le chapitre XXX.

Approfondissement et exemples

- Candide quitte Eldorado, rêve du passé en 1759, celui du despotisme éclairé. De plus, pas de possibilité d'éclosion bourgeoise car mépris de l'argent.

  Eldorado = fausse solution du conte.

  Voltaire fait prévaloir la classe bourgeoise sur la raison.
- Le chap. XXX règle le problème en privilégiant l'action sur la raison : «travaillons sans raisonner». Valeurs nouvelles adoptées par un groupe, une conscience collective. Société entière prend conscience de sa mutation.
- Le fonctionnement de l'ironie avec la consubstantialité entre fête et raison permet la lecture d'une promotion de la classe bourgeoise derrière le combat de la raison.

– Le caractère subversif de la fête est toujours implicite dans *Candide*. Il s'appuie sur la parodie et le rabaissement.

- Parodie des romans sentimentaux et des mélodrames, de la genèse au chap. I, des discours rhétoriques (ex : discours de Cacambo aux Oreillons).
- Rabaissement touchant noblesse (Cunégonde, violée, blanchisseuse, pâtissière - Baron symbolisant Eglise,

Approfon-dissement et exemples

noblesse, armée, finit galérien) et métaphysique de Leibniz (termes «causes», «effets», «raison suffi-sante» employés à tort et à travers - Pangloss détrôné quand le derviche lui ferme la porte au nez).
– Contrepartie : valorisation de l'action et de l'expé-rience (ex : Cacambo).

Plan

1. Comment tous les caractères de la fête servent-ils la raison dans Candide ?

   A. Dès la fin du XVIIIᵉ siècle, se produit une mutation dans la conception classique de la Raison : la vérité n'est plus donnée avec la raison, mais il s'agit par la raison de l'établir et de la découvrir.

   B. *Candide* est un banc d'essai pour cette nouvelle raison. Cependant c'est la forme qui fait la spécificité du conte.

   C. Comme il n'y a aucune intériorisation de leurs aventures, les personnages suivent le rythme brisé d'un ballet de marionnettes.

   D. Le caractère subversif de la fête, toujours implicite dans le conte, s'appuie principalement sur la parodie et le rabaissement.

2. *En effet*, dans Candide la fête ne se joue pas dans la fiction. Et c'est en cela qu'elle est apparence.

   A. Cette constatation repose sur trois éléments de réflexion (séparation entre acteurs et spectateurs, séparation entre fiction et narration, absence de rénovation universelle par la fête).

   B. En réalité, dans le conte, la fête se joue dans la narration elle-même. Apercevoir l'apparence de fête dans la fiction, c'est se rendre compte par là même qu'elle est destinée à masquer.

   C. L'ironie en est le symbole : l'auteur mettant en valeur un dit, suggère que c'est le non dit que le lecteur doit privilégier.

   D. *Candide* permet donc deux sortes de lectures. La seconde fait émerger l'ironie, c'est-à-dire l'équivoque du texte. Elle permet de promouvoir la classe bourgeoise.

Plan détaillé du développement

1. Comment tous les caractères de la fête servent-ils la raison dans *Candide* ?

> **A.** Dès la fin de XVIIe siècle, avec Pierre Bayle par exemple, se produit une mutation dans la conception classique de la Raison : la vérité n'est plus donnée avec la raison, mais il s'agit par la raison de la découvrir et de l'établir.

Notes à rédiger : – Raison liée à l'expérience, non plus à la transcendance
> – Ses objectifs : vérifier la tradition et l'autorité (dogmes, morale du christianisme, institutions politiques et sociales).
> – Au XVIIIe siècle, combat de la raison, car littérature se veut militante.
> – Donc transformation quantitative et qualitative.

De cette nouvelle conception de l'écrivain-philosophe va procéder une nouvelle conception de l'écriture : elle n'est plus seulement un art, elle devient un moyen.

Notes à rédiger : – Moyen pas uniforme. Deux types d'écriture :
> • écriture directement philosophique et didactique sans équivoque ex : *L'Esprit des Lois* Montesquieu
> • écriture médiatement philosophique, «fictive». ex : *Les Lettres Persanes* Montesquieu - *Candide* Voltaire.
> – Problème : pourquoi mystifier la fiction ? Les philosophes du XVIIIe siècle ont souvent opposé fable et raison. ex : Voltaire *Dictionnaire Philosophique* «Au commencement était la Fable, à la fin viendra la Raison». Mais dans l'*Ingénu* : «J'aime les fables des Philosophes».
> – En fait distinction de Voltaire entre deux raisons : la raison fondée sur esprit de système et la raison lockéenne fondée sur l'expérience.
> – Recours à la seconde écriture pour montrer dans *Candide* l'absurdité des systèmes. Conte = banc d'essai.

B. Mais sous quelle forme ce banc d'essai s'ouvre-t-il ? Sans opposer le fond et la forme, il n'en demeure pas moins que c'est la forme qui fait la spécificité de *Candide*.

Notes à rédiger : – Voltaire supprime tous les raisonnements du texte et dévalorise le verbe «raisonner», ex : fin chap. XXI quand Candide va parler du libre-arbitre.

– La forme fait naître le fond et fusionne raison et fiction. C'est ce que R. Barthes appelle «allure de fête».

– Sens de fête ? Celui du XVIe siècle. Référence : Rabelais ; fête carnavalesque, création d'un autre monde, *monde comique* caractérisé par l'indifférenciation et la relativité, donc *monde subversif* : plus de hiérarchie, parodie, destruction, mais aussi *monde régénérateur* : résurrection d'une forme idéale de vie avec un nouveau type de communication. Dans ce monde pas de séparation entre fiction et narration. Rabelais est un narrateur inscrit dans fiction du texte.

Si on fait maintenant une approche de ce qui serait une fête dans *Candide*, on s'aperçoit qu'elle est d'abord caractérisée par un rythme de fête. Il s'ajoute donc un troisième sens au mot «allure», celui de rythme. Donner au «combat de la raison» l'allure d'une fête, c'est lui donner d'abord le rythme de la fête, c'est-à-dire un rythme tourbillonnant sans temps morts ou temps faibles, un temps de farandole.

Notes à rédiger : – Descriptions ou analyse des sentiments éliminés.

– Accélération constante, disproportion entre temps-espace de la fiction et temps-espace de la narration ex : chap. XIII «On envoya sans perdre temps un vaisseau à leur poursuite. Le vaisseau était *déjà* dans le port de Buenos-Aires». De même quand les personnages parlent ex : chapitre XII, la vieille «*A peine* les janissaires eurent-ils fait le repas que nous leur avions fourni *que* les russes arrivèrent sur des bateaux plats ; *il ne réchappa pas un seul janissaire*».

– Double fonction du rythme dans l'œuvre :
  • attaquer toute forme d'optimisme par accumulation de malheurs,

• combattre tout système de cause à effet en substituant le hasard à la providence.

c. Comme il n'y a aucune intériorisation de leurs aventures, ni introspection, les personnages suivent le rythme brisé d'un ballet de marionnettes dans la superposition kaléidoscopique d'actions...

Notes à rédiger : – Parataxes, phrases très courtes sans subordonnées, présent dramatique.

– Satire ex : exercice et recrutement bulgare. - esthétique de guignol ; ex : chap. III «théâtre de la guerre», chap. VI «spectacle» de l'autodafé.

– Monde : scène comique où tout est possible : résurrections (Cunégonde, Pangloss, Baron), jeu sur la crédulité du lecteur, jeu sur la vie et la mort (ex chap. XXIX Candide et Baron «Je te retuerais...», «tu peux me tuer encore»...).

– Mort comme éliminée du texte pour n'être que plus présente, ex : chap. III «des vieillards criblés de coups regardaient mourir leurs femmes égorgées... des filles éventrées... rendaient leurs derniers soupirs, d'autres à demi brûlées criaient qu'on achevât de leur donner la mort».

– Les personnages subsistent malgré les malheurs (défigurations, mutilations) pour témoigner de l'existence du mal.

d. Explicite dans cet exemple, le caractère subversif de la fête est cependant toujours implicite dans le conte. Il s'appuie principalement sur la parodie et le rabaissement.

Notes à rédiger : – Parodie des romans sentimentaux et des mélodrames, de la genèse au chap. I, des discours rhétoriques (ex : discours de Cacambo aux Oreillons).

– Rabaissement touchant noblesse (Cunégonde : violée, blanchisseuse, pâtissière - Baron symbolisant Eglise, noblesse, armée, finit galérien) et métaphysique de Leibniz (termes «causes», «effets», «raison suffisante» employés à tort et à travers - Pangloss détrôné quand derviche lui ferme la porte au nez).

– Contrepartie : valorisation de l'action et de l'expérience (ex : Cacambo).

Transition : La fête chez Voltaire présente des fonctions similaires à la fête chez Rabelais. En associant des éléments hétérogènes et en laissant les faits parler d'eux-mêmes, elle cherche à
affranchir de tout ce qui est communément admis ; ainsi tous les
caractères de fête que l'on trouve dans *Candide* servent le
combat de la raison. Mais ce verbe «servir» n'indique-t-il pas
que la relation entre la fête et la raison n'est pas aussi simple ?

*   *

*

2. *En effet*, dans *Candide*, la fête, en n'étant que l'«allure d'une
fête», c'est-à-dire son apparence, ne se joue pas dans la fiction.
Et c'est en cela qu'elle est apparence.

   A. Cette constatation repose sur trois éléments de réflexion.

   Notes à rédiger : – Termes «spectacle», «mascarade» suggèrent la
          séparation entre acteurs et spectateurs. C'est le
          premier caractère contraire à la fête.

        – Emploi de la satire dans la narration, qui pose
          auteur et lecteur en spectateurs ; l'auteur se place
          en dehors de sa raillerie. Donc c'est l'auteur qui
          rend la fiction risible pour lecteur.
          Personnages ne vivent pas la fête.
          Séparation entre fiction et narration = deuxième
          caractère contraire à la fête.
          (Seule fête possible dans *Candide* : celle des
          malheurs extérieurs dans la première partie, des
          malheurs intérieurs dans la seconde partie, c'est-
          à-dire des «chagrins secrets». Or il n'y a ni
          chagrins, ni individualité dans la fête. Accentua-
          tion de la contradiction).

        – Pas de rénovation universelle, pas d'ébranlement
          des fondements de la société et de la morale.
          Voltaire veut seulement promouvoir la bour-
          geoisie. Pas de jeu subversif de la fête entre deux
          mondes comme chez Rabelais (Prologues).
          Voltaire retient les caractères formels de la fête ;
          pas d'autonomie de la fête ; plus d'esprit de la fête.

   B. Cependant, s'il est vrai que la fête se dénonce elle-même
     comme fête, s'il est vrai qu'elle n'est qu'un détour, une sorte

de voie pédagogique, il est difficile de parler d'un primat de la raison qui s'écrirait sous le vêtement de la fête, d'une séparation entre la forme et le fond. En réalité, dans *Candide*, la fête se joue dans la narration elle-même. Apercevoir l'apparence de fête dans la fiction, c'est se rendre compte par là même qu'elle est destinée à masquer.

Notes à rédiger : – Deux mascarades dans narration :

- mascarade de l'auteur : refus d'assumer son écriture qui fait penser au «larvatus prodeo» de Descartes. *Candide* : «traduit de l'allemand de M. le docteur Ralph». Attitude liée à l'enjeu du combat.
- mascarade de l'écriture : jeu entre dit (fête, explicite) et le non dit (raison, implicite). Passage du chap. XX explique le processus utilisé : «on aperçoit deux vaisseaux... Le vent les amena l'un et l'autre si près du vaisseau français, qu'on eut le plaisir de voir le combat tout à son aise». «Apercevoir», «plaisir», «voir», «tout à son aise» évoquent le spectacle et l'«allure de fête». Mais ensuite : «Eh bien, dit Martin, voilà comme les hommes se traitent les uns les autres». Spectacle interprété dans le cadre de la raison.

  Le dit : allure de fête, le non dit : apparence de fête ; le dit est le masque du non dit, le non dit démasque le dit. C'est le fonctionnement de l'ironie et la véritable position de la fête par rapport à la raison.

c. L'ironie s'offre comme un langage qui ment puisqu'il dit l'inverse de ce qu'on pense. Mais ce n'est pas un langage menteur puisque l'auteur mettant en valeur un dit suggère que c'est le non dit que le lecteur doit privilégier.

Notes à rédiger : – Le dit demande contre-lecture. Pour le lecteur, la raison ne peut naître que de la fête.

– Le non dit et l'ironie ne sont pas superposables. Le lecteur, après avoir lu le dit et le non dit, doit faire une troisième lecture les réunissant tous deux pour trouver l'ironie. Ironie = ce qui lie sens apparent et sens profond. Voir cette consubstantialité c'est retrouver le processus d'écriture du texte.

– Ironie = appel à la générosité du lecteur qui lui évite de s'égarer.

Voltaire : «les livres les plus utiles sont ceux dont les lecteurs font eux-mêmes la moitié».

Lecteur devient créateur du texte, dénonce ses contradictions et se modifie lui-même.

Le plaisir se trouve dans la réécriture du texte.

Si refus du lecteur de recréer texte, refus de l'auteur d'assumer la création du texte et réduction du conte au sens apparent : «allure de fête», sans subversion et ironie.

D. Candide permet donc deux sortes de lectures : la lecture d'une classe dominante, la lecture d'une classe bourgeoise ; une lecture où le texte reste fermé au lecteur, une lecture qui réécrit le texte. Le refus d'une écriture didactique au profit d'une écriture fictive s'explique alors : la seconde permet l'ironie, c'est-à-dire l'équivoque du texte.

Notes à rédiger : – Derrière la consubstantialité entre fête et raison, un autre combat, celui de la bourgeoisie. Bourgeoisie inséparable de la raison. Optimisme et métaphysique attaqués au nom de la bourgeoisie, car ils sont les fondements de l'ordre établi. Métaphysique = science des mots. Optimisme = conservation et immobilisme, refus du changement. Impostures religieuse (protestants de Hollande, catholiques de l'Inquisition) et monarchique liées. L'Eglise empêche la liberté de pensée et protège le despotisme.

Cette prédominance du combat pour promouvoir une classe bourgeoise explique les deux temps morts du conte : Eldorado et le chapitre XXX.

Notes à rédiger : – Candide quitte Eldorado, rêve du passé en 1759, celui du despotisme éclairé. De plus pas de possibilité d'éclosion bourgeoise car mépris de l'argent.

Eldorado = fausse solution du conte.

Voltaire fait prévaloir la classe bourgeoise sur la raison.

– Le chap. XXX règle le problème en privilégiant l'action sur la raison : «travaillons sans raisonner». Valeurs nouvelles adoptées par un groupe, une conscience collective. Société entière prend conscience de sa mutation.

Le fonctionnement de l'ironie avec la consubstantialité entre fête et raison permet la lecture d'une promotion de la classe bourgeoise derrière le combat de la raison.

Rédaction de la conclusion et de l'introduction

• Conclusion

– Aboutissement du raisonnement

«Nul mieux que lui...» écrit Roland Barthes. Il est pratiquement sans intérêt de faire des comparaisons. En effet Voltaire par l'emploi de l'ironie porte la relation du «Combat de la raison» avec «l'allure de fête» à son point de perfection. L'auteur part du «combat de la raison» mais écrit la fête ; le lecteur part de la fête mais parvient au «combat de la raison». Cette même visée de l'auteur et du lecteur que crée la consubstantialité de la raison et de la fête dans l'ironie permet une écriture commune.

– Elargissement des perspectives

Du reste, si le lecteur a vraiment intégré l'esprit du conte, c'est-à-dire au fond la remise en question de ce qui est avancé, il réfléchira aussi sur l'assimilation implicite entre la raison et une classe sociale...

• Introduction

– Présentation du sujet

Lorsque Roland Barthes écrit à propos de Voltaire : «*Nul mieux que lui n'a donné au combat de la Raison l'allure d'une fête*», il met en rapport deux notions «Raison» et «fête» qui s'opposent et s'excluent même apparemment. Cependant le mot «allure», qui renferme en lui deux sens contradictoires, puisqu'il suggère à la fois les caractères de la fête et l'apparence de fête en même temps que le rythme, crée dans la phrase un lien entre ces deux notions.

– Annonce de la problématique du développement

Deux directions de recherche s'imposent : comment tous les caractères de fête servent-ils la Raison ? Comment la Raison travaille-t-elle sous la fête ?

Cette circularité détermine une problématique particulière à Voltaire dans Candide. Elle concerne à la fois l'écriture et la lecture et se résume dans la phrase de Voltaire : «Moi j'écris pour agir».

Développement

Comment tous les caractères de la fête servent-ils la raison dans Candide ?

Dès la fin du XVIIIe siècle, avec Pierre Bayle par exemple, se produit une mutation dans la conception classique de la Raison : la vérité n'est plus donnée avec elle, mais il s'agit pour elle de la découvrir et de l'établir. La Raison ne se ménage plus grâce à l'expérience une issue vers la transcendance comme chez Descartes, mais bien au contraire, son objectif sera de vérifier tout ce que la tradition et l'autorité avaient établi. Elle ne veut rien laisser hors de son champ et se livre au libre examen aussi bien sur les dogmes et la morale du christianisme que sur les institutions politiques et sociales. Le XVIIIe siècle invente donc le «combat de la raison». La littérature se veut militante. Elle passe de l'«être» au «faire». La Raison subit ainsi deux transformations au XVIIIe siècle, l'une quantitative, puisqu'il ne faut rien laisser en dehors du champ rationnel, l'autre qualitative, puisqu'elle se met en lutte.

De cette nouvelle conception de l'écrivain-philosophe va procéder une nouvelle conception de l'écriture : elle n'est plus seulement un art, elle devient un moyen. Mais ce moyen n'est pas uniforme. En effet, dans la création littéraire du XVIIIe siècle, il faut distinguer :

– une écriture directement philosophique, didactique, dans l'énonciation de laquelle ne réside aucune équivoque, c'est celle de Montesquieu dans *L'Esprit des Lois* par exemple,

– une écriture : médiatement philosophique, «fictive» dans la double dénotation du terme : imaginer et cacher. C'est celle du même Montesquieu dans *Les Lettres Persanes* ou celle de Voltaire dans *Candide*.

Cette seconde écriture pose un problème fondamental. En effet, si la raison est un élément de démystification, pourquoi mystifier la fiction ? Ce problème apparaît d'autant plus aigu que les philosophes du XVIIIe siècle, et tout particulièrement Voltaire ont toujours posé les fables en opposition directe à la raison. «*Au commencement était la fable, à la fin viendra la Raison*» écrit Voltaire dans son *Dictionnaire philosophique*. Cette séparation radicale n'est cependant pas si simple. Voltaire, s'il condamne les contes au nom de la raison, ne peut s'empêcher de subir leur envoûtement. Il a donc toujours cherché à concilier. Ainsi, on lit dans l'*Ingénu* : «J'aime les fables des philosophes». En écho à cette distinction de deux fictions, se trouve la distinction opérée par Voltaire entre deux raisons : l'une qu'il refuse, l'esprit de système, l'autre, la raison lockéenne fondée sur l'expérience. Reste cependant posée la question de savoir pourquoi Voltaire a eu recours à la seconde écriture. Il semble encore difficile d'y répondre. Pourtant s'il refuse la voie de l'écriture didactique, c'est certainement de crainte de tomber justement dans le didactisme de l'esprit de système. Avoir recours à la fiction c'est aussi pour Voltaire montrer l'absurdité des systèmes face à l'expérience et permettre à une raison de type lockéen de trouver un véritable champ d'application. Le conte serait ainsi une sorte de banc d'essai destiné à tester la valeur d'un système.

Mais sous quelle forme ce banc d'essai s'ouvre-t-il ? Sans opposer le fond et la forme, il n'en demeure pas moins que c'est la forme qui fait la spécificité de *Candide*. Or elle est le contraire d'une forme déductive et didactique, et il faut noter que Voltaire s'est attaché à supprimer tous les raisonnements du texte —comme par exemple à la fin du chapitre XXI, quand Candide va parler du libre arbitre – et à dévaloriser systématiquement le verbe «raisonner». Ainsi cette forme devra faire naître d'elle-même le fond. C'est cette nouvelle forme, qui doit opérer à la fois le déplacement et la fusion entre raison et fiction, que Roland Barthes appelle une «allure de fête».

Pour comprendre le choix de ce terme, il faut tout d'abord s'interroger sur son sens. De fait, il est difficile d'employer le terme «fête» sans se référer à son véritable sens, celui du XVIe siècle. Au temps de Rabelais, la fête consistait à créer un autre monde ; en effet, la fête carnavalesque ne se comprend qu'en parallèle à la fête officielle qui cautionnait un ordre établi. Trois traits fondamentaux caractérisent cet autre monde. Il apparaît d'abord comme un monde comique : plus aucune distinction entre celui qui rit et celui dont on rit, entre acteurs et spectateurs, chacun vit la fête avec chacun. Le monde est perçu dans sa relativité ; c'est penser qu'un ordre du monde totalement différent est possible. Le second trait est donc la subversion. Dans ce monde subversif, toutes les barrières hiérarchiques sont éliminées : on élève ce qui est en bas et on abaisse ce qui est en haut ; la parodie ne permettra la reconnaissance d'un cadre que pour mieux s'en moquer et le détruire. Cet autre monde n'est pas seulement destructeur, il est surtout, et c'est sa troisième caractéristique un monde régénérateur. Il est vécu comme un retour aux sources par la résurrection universelle d'une forme idéale de la vie avec un nouveau type de communication. Une écriture de fête ne pourra être ainsi que celle où ne règne aucune séparation entre fiction et narration. C'est d'ailleurs l'une des raisons pour lesquelles Rabelais narrateur est nécessairement inscrit dans la fiction du texte. Ces trois éléments sont bien sûr intimement liés.

Si on fait maintenant une approche de ce qui serait une fête dans *Candide*, on s'aperçoit qu'elle est d'abord caractérisée par un rythme de fête. Il s'ajoute donc un troisième sens du mot allure, celui du rythme. Donner au «combat de la raison» l'allure d'une fête, c'est lui donner d'abord le rythme de la fête, c'est-à-dire un rythme tourbillonnant sans temps morts ou temps faibles, un temps de farandole. Pour l'obtenir Voltaire élimine tout ce qui pourrait le gâter : descriptions, analyse des sentiments. De ce refus de tout enlisement naît une accélération constante du récit qui procède de la double disproportion entre une durée et/ou un espace importants dans la fiction et une durée et/ou un espace réduits dans la narration ; on lit par exemple au chapitre XIII : «*On envoya sans perdre temps un vaisseau à leur poursuite. Le vaisseau était* déjà *dans le port de Buenos-Aires*». Même quand les personnages parlent, ils suivent cette même loi d'accélération assumée auparavant par le narrateur ; en témoigne la vieille qui dit au chapitre XII : «A peine *les janissaires eurent-ils fait le repas que nous leur avons fourni* que *les russes arrivèrent sur des bateaux plats ; il ne réchappa pas un janissaire*». Par moments, on a donc l'impression que la fiction se moule à ce rythme. Il a une double fonction dans l'œuvre : d'une part s'attaquer à toute forme d'optimisme en faisant table rase, par l'accumulation des malheurs, de tout ce qui pourrait

rassurer l'homme sur sa condition ; d'autre part combattre tout
système de cause à effet en montrant le cours imprévisible de la
destinée et par là même lutter contre toute forme de providence à
laquelle Voltaire substitue le règne du hasard.

Comme il n'y a aucune intériorisation de leurs aventures, ni
introspection, les personnages suivent le rythme brisé d'un ballet
de marionnettes dans la superposition kaléidoscopique d'actions,
avec parataxes, phrases très courtes sans subordonnées... Ces
ballets, par le recours du présent, aussi bien dans la narration que
dans le dialogue, qui transforme le récit en scène, vont mettre en
valeur la satire que contient l'épisode. On peut se référer au
recrutement et à l'exercice bulgare par exemple. Grâce à cette
esthétique de guignol, tout spectacle va renfermer une satire : au
chapitre III, on parle du «théâtre de la guerre», au chapitre VI du
«spectacle» de l'autodafé. Le monde devient une scène comique
où tout est possible. Et d'abord les résurrections. Tous ceux que
l'on croit morts réapparaissent dans le conte : Cunégonde, Pangloss, le Baron. Voltaire forge de fausses évidences pour jouer sur
la crédulité du lecteur. Cependant, dans tout le texte se crée un jeu
entre la vie et la mort : à la fin du chapitre XXIX, Candide dit «Je
te retuerais...» au baron qui lui répond «tu peux me tuer encore» ;
il n'existe plus aucune barrière entre la vie et la mort, on ne meurt
jamais vraiment. Mais la mort est comme éliminée du texte pour
n'être en fait que plus présente, le chapitre III le démontre : «*des
vieillards criblés de coups regardaient mourir leurs femmes
égorgées... des filles éventrées... rendaient leurs derniers soupirs ; d'autres à demi brûlées criaient qu'on achevât de leur
donner la mort*». Le lecteur a l'impression que les personnages
doivent subsister en dépit de leurs malheurs -visibles dans les
nombreuses défigurations et mutilations- pour témoigner de l'existence du mal. Tous les personnages sont ainsi des masques. D'une
part, c'est toujours le même masque que l'on retrouve. Les personnages sont pratiquement interchangeables et les constantes répétitions d'un leitmotiv ne servent qu'à réfuter toute hypothèse d'un
«meilleur des mondes possibles». Mais d'autre part chaque personnage à son masque propre et sert à un procès particulier.
Candide sert au procès d'une éducation fondée sur le principe
d'autorité, le pouvoir et l'inexpérience, Pangloss à celui de tout
système métaphysique... Leurs noms mêmes fixent leur masque
de la même manière que pour Arlequin ou Polichinelle dans la

commedia dell'arte. Le masque carnavalesque met tout le monde
sur un pied d'égalité. C'est ce qui apparaît bien dans l'épisode de
Venise où la mascarade est elle-même inscrite dans la fiction. Elle
est doublement mise en valeur dans le texte : d'abord, elle s'inscrit
comme un élément singulier dans le récit d'une certaine durée ;
ensuite, dans le titre, Voltaire a supprimé le terme «rois» pour ne
garder que «six étrangers». On comprend cette mise en valeur
quand on s'aperçoit que la subversion que permet la fête est là aussi
inscrite dans la fiction ; en premier lieu, Candide offre «un diamant
de 20 000 sequins» au roi Théodore, puis surtout quand quatre
autres rois arrivent à l'hôtellerie, il ne fait pas attention à «ces
nouveaux venus». Si l'argent d'Eldorado avait donné à Candide un
statut de bourgeois, le carnaval de Venise lui permet d'opérer un
renversement des valeurs entre noblesse et bourgeoisie.

Explicite dans cet exemple, le caractère subversif de la fête est
cependant toujours implicite dans le conte. Il s'appuie principalement sur la parodie et le rabaissement. Parodie générale des
romans sentimentaux et des mélodrames qui combat une fausse
conception de l'écriture ; parodie de la genèse au chapitre I et des
discours rhétoriques dans le discours de Cacambo aux Oreillons
qui combat une fausse conception de l'histoire. Les rabaissements,
pour leur part, vont toucher d'un côté la noblesse -Cunégonde sera
violée puis blanchira des chemises avant de finir pâtissière, quant
au baron, après avoir atteint la suprême puissance (au Paraguay il
renfermera en lui l'Eglise, la Noblesse, l'Armée) il finira galérien-
de l'autre la métaphysique – les termes qui caractérisent la philosophie de Leibniz : «causes», «effets», «raison suffisante», seront
employés à tort et à travers dans le texte ; le détrônement de
Pangloss sera complet quand le derviche lui fermera la porte au
nez-. En contrepartie, Voltaire rehausse ce qui est opposé à la
noblesse en tant que classe sociale et à la métaphysique. Cacambo,
homme du peuple dont la morale est fondée sur l'action et
l'expérience en est un exemple.

La fête chez Voltaire présente des fonctions similaires à la fête
chez Rabelais. En associant des éléments hétérogènes et en
laissant les faits parler d'eux-mêmes, elle cherche à affranchir de
tout ce qui est communément admis ; ainsi tous les caractères de
fête que l'on trouve dans *Candide* servent le combat de la raison.
Mais ce verbe «servir» n'indique-t-il pas que la relation entre la
fête et la raison n'est pas aussi simple ?

*   *
*

En effet, dans *Candide*, la fête en n'étant que «l'allure d'une fête», c'est-à-dire son apparence, ne se joue pas dans la fiction. Et c'est en cela qu'elle est apparence.

Cette constatation repose sur trois éléments de réflexion. Il apparaît d'abord que les termes de «spectacle» ou de «mascarade» qui sont dans le texte suggèrent qu'il existe une séparation entre les acteurs et les spectateurs ; ce caractère contraire à la fête qui se trouve dans la fiction, se retrouve dans la narration du fait de l'emploi de la satire. En effet, la satire pose l'auteur et le lecteur en spectateurs. La distinction entre les acteurs et les spectateurs est si forte dans *Candide* que le monde décrit par Voltaire n'est pas un monde de fête, un monde risible, c'est l'auteur qui le rend risible pour le lecteur ; les personnages ne vivent pas la fête. Cette séparation entre la fiction et la narration offre donc un second caractère contraire à la fête. Et si l'on pouvait penser une fête dans la fiction, elle ne pourrait être qu'une fête de malheurs, malheurs extérieurs dans la première partie du conte, malheurs intérieurs ensuite. C'est là que repose l'opposition la plus profonde du texte à la fête : les «chagrins secrets», puisqu'il ne peut y avoir dans la fête ni «chagrins», ni surtout d'individualité. Enfin, le caractère fondamental de la fête ne se retrouve pas dans *Candide* : il n'y a pas de retour aux sources, pas de rénovation universelle d'une forme idéale de la vie, pas d'ébranlement véritable des fondements de la société, pas de remise en question de la morale. Voltaire vise uniquement à la promotion de la classe bourgeoise. Il n'y a donc pas dans *Candide* ce jeu qui existait dans le style de bonimenteur des prologues de Rabelais, entre deux mondes, et permettait la véritable subversion de la fête. La réalité voltairienne n'a pas d'existence autonome ; schématisée et réduite à sa plus essentielle signification, elle n'existe que pour rendre son témoignage. Voltaire garde les caractères formels de la fête mais l'esprit de la fête n'existe pas, il y a absence du véritable sens de la fête.

Cependant, s'il est vrai que la fête se dénonce elle-même comme fête, s'il est vrai qu'elle n'est qu'un détour, une sorte de voie pédagogique, il est difficile de parler d'un primat de la raison qui s'écrirait sous le vêtement de la fête, d'une séparation entre la forme et le fond. En réalité, dans *Candide*, la fête se joue dans la narration elle-même. Apercevoir l'apparence de fête dans la fiction, c'est se rendre compte par là même qu'elle est là pour masquer. Ainsi, la véritable mascarade se situe sur le plan de la narration. On peut distinguer deux mascarades :

– une mascarade de l'auteur : Voltaire pourrait en effet reprendre la devise de Descartes «Larvatus prodeo» («Je m'avance masqué»), dans la mesure où il refuse d'assumer son écriture - *Candide* est «traduit de l'allemand de Monsieur le Docteur Ralph-. Au-delà du jeu, on doit voir dans ce refus l'enjeu du combat.

– une mascarade de l'écriture : il faut distinguer dans le plan de la narration un dit et un non-dit. La fête, explicite, a pour fonction de masquer la raison, implicite, c'est-à-dire le non-dit. Voltaire éclaire parfaitement cette relation dans un passage du texte. Dans le chapitre XX, en effet, Candide et Martin assistent à un combat naval :«*On aperçoit deux vaisseaux ... Le vent les amena l'un et l'autre si près du vaisseau français, qu'on eut le plaisir de voir le combat tout à son aise*». Les termes «apercevoir», «plaisir», «voir», «tout à son aise» indiquent que l'on assiste à un spectacle, ce qui définit chez Voltaire l'allure de fête. Mais, après ce combat on lit : *Et bien, dit Martin, voilà comme les hommes se traitent les uns les autres*». Le spectacle n'est pas signifiant pour lui-même comme spectacle, mais il est signifiant dans le cadre de la raison. Ce qui dans cet exemple est explicite sur le plan de la fiction fait fonctionner tout le conte dans un jeu entre un dit et un non-dit. Le dit donne à la fiction une allure de fête, mais le non-dit force la fiction à n'être qu'une apparence de fête. Le dit masque le non dit, mais le non-dit démasque en même temps le dit. Le fait de masquer et de démasquer définit le fonctionnement de l'ironie et la véritable position de la fête par rapport à la raison chez Voltaire.

L'ironie s'offre comme un langage qui ment puisqu'il dit l'inverse de ce que l'on pense. Mais ce n'est pas un langage menteur puisque l'auteur, privilégiant un dit, suggère que c'est le non-dit que le lecteur doit entendre. Le dit demande ainsi une contre-lecture : le plan du non-dit commence où s'achève le plan du dit. Donc pour le lecteur de *Candide*, la raison -le non-dit- ne peut naître que de la fête -le dit-. Cependant l'ironie n'égale pas le non-dit. En effet, le lecteur, après les lectures du dit et du non-dit, doit effectuer une troisième lecture qui réunira ce que l'auteur a disjoint, c'est-à-dire le processus ironique. Elle réunira en fait à la fois ce qui masque et ce qui démasque. Dans l'ironie, sens apparent et sens profond sont liés, il y a donc consubstantialité entre l'allure de fête et la raison. Passer à la troisième lecture de l'ironie, apercevoir cette consubstantialité, c'est retrouver le processus d'écriture du texte. L'ironie constitue un appel à la générosité du lecteur pour qu'il ne s'égare pas dans le sens apparent. Voltaire n'écrit-il pas *«Les livres les plus utiles sont ceux dont les lecteurs font eux-mêmes la moitié»* ? L'ironie, qui consiste à entrer dans la démarche de pensée du lecteur pour en dénoncer les contradictions, amène ce même lecteur non seulement à être créateur du texte, mais aussi à dénoncer lui-même ses contradictions. Ce n'est plus le texte qui modifie le lecteur, c'est le lecteur qui se modifie lui-même. Le plaisir n'existe vraiment dans *Candide* que dans la réécriture du texte. Mais si le lecteur refuse d'assumer son rôle d'interlocuteur-créateur, alors, parallèlement Voltaire refuse d'assumer son rôle d'auteur et réduit de ce fait le texte à une seule lecture, celle du sens apparent, c'est-à-dire une «allure de fête» où tout caractère subversif a été éliminé en même temps que l'ironie.

Candide permet donc deux sortes de lectures : la lecture d'une classe dominante, la lecture d'une classe bourgeoise ; une lecture où le texte reste fermé au lecteur, une lecture qui réécrit le texte. Le refus d'une écriture fictive s'explique alors : la seconde fait jouer l'ironie, c'est-à-dire l'équivoque du texte. Bien plus, elle donne la possibilité de cacher derrière la consubstantialité entre la fête et la raison, un autre combat, celui de la bourgeoisie. De même que la raison est inséparable de la fête, de même, la bourgeoisie est inséparable de la raison. Voltaire s'attaque à l'optimisme et à la métaphysique au nom de la bourgeoisie parce qu'ils cautionnent un ordre établi. La métaphysique n'est qu'une science de mots, pas une science de vie ; l'optimisme, par son principe conservateur permet l'immobilisme. Tous deux refusent une quelconque perspective de changement susceptible de produire un bouleversement de l'harmonie existante. De même l'imposture religieuse - celle des protestants en Hollande ou celle des catholiques de l'Inquisition- est liée à l'imposture monarchique : Voltaire combat l'Eglise non seulement pour lutter en faveur de la liberté de pensée, mais aussi pour détruire les forces qui protègent le despotisme. Cette prédominance du combat pour promouvoir une classe bourgeoise explique les deux temps morts du texte : Eldorado et le chapitre XXX. Si Candide quitte Eldorado c'est parce que ce pays appartient à un rêve passé auquel, en 1749, Voltaire ne croit plus : le despotisme éclairé, mais c'est surtout parce qu'Eldorado ne permet pas l'éclosion d'une classe bourgeoise ; on y cultive le mépris de l'argent. Aussi cet épisode apparaît dans la structure du conte comme une fausse solution. Voltaire ne fait pas prévaloir la raison, mais la classe bourgeoise. En revanche, le chapitre XXX va permettre la résolution de ce problème en faisant prévaloir une action sur la raison, une pratique sur la théorie : «travaillons sans raisonner» dit Martin. De plus, ce n'est plus le héros seul qui prend conscience d'une mutation et fait siennes des valeurs nouvelles, mais un groupe. Les valeurs nouvelles sont adoptées par une conscience collective. C'est la société entière qui prend conscience de sa mutation. Or là aussi, seul le fonctionnement de l'ironie avec la consubstantialité de la fête et de la raison pouvait permettre cette lecture d'une promotion de la classe bourgeoise derrière le combat de la raison.

*   *

*

3. Sujet de littérature comparée

Thème : l'image du Christ dans la littérature.

Romano Guardini affirme que le Prince Mychkine est «*un symbole du Christ, mais où rien de divin ne se trouve mimé par le personnage*». Pour lui, «*l'absence de ce côté parachève le symbole et lui donne tout son sens*». Ce jugement qui concerne *l'Idiot* de Dostoïevski peut-il être également appliqué à *Nazarin* de Galdos et au *Christ recrucifié* de Kazantzaki ?

Analyser le sujet

Trois expressions de Romano Guardini doivent attirer l'attention : «symbole du Christ», «rien de divin ne se trouve mimé par le personnage», ce qui «parachève le symbole et lui donne tout son sens».

Deux mots méritent d'être éclairés, «symbole» et «parachever». Un symbole est en général un signe concret qui évoque un élément abstrait sous-entendu, une sorte de comparaison sans second terme. C'est un moyen d'exprimer indirectement, de suggérer. Le verbe «parachever» signifie quant à lui, conduire au dernier point de perfection, donner la dernière touche, celle qui livre enfin un ensemble accompli.

Il faut noter la manière dont Romano Guardini s'exprime. Le critique italien souligne volontairement, grâce à un mode d'expression particulier, le passage de l'un à l'autre des trois éléments retenus en créant entre eux un rapport logique fondamental. En effet, sa réflexion progresse par une succession de paradoxes. Le premier est mis en valeur par la présence de la conjonction de coordination adversative «mais», le second, tout au contraire, apparaît du fait d'une sorte d'asyndète. Si l'on reprend en les caricaturant un peu les termes et la construction utilisés, on comprend qu'il y a symbole christique, mais sans intrusion du divin, ce qui justement confère au symbole sa signification profonde...

Pour être véritablement efficace, la problématique choisie devra intégrer ces paradoxes et donner le moyen de faire la lumière sur leur raison d'être. Le sujet ne sera en effet bien traité que si les tenants et les aboutissants de ces paradoxes sont cernés.

Interroger le sujet, choisir et structurer une problématique

Interrogations		Problématique
Quelles sont les ambitions et les limites des trois projets littéraires ?	→	**Troisième partie**
Pourquoi la figure du Christ s'est-elle imposée aux trois romanciers ?	→	Question de départ de réflexion destinée à faire naître des interrogations plus profondes.
Que peut bien signifier le symbole s'il perd le côté divin du modèle ?	→	**Deuxième partie**
Qu'est-ce que la figure du Christ remet en question ?	→	Idée à retenir et à considérer, mais ne pouvant constituer la substance d'une grande partie.
Comment l'absence du côté divin peut-elle parachever le symbole et lui donner tout son sens ?	→	**Troisième partie**
Y a-t-il ressemblance, correspondance, ou analogie entre les héros des trois romans et le Christ ?	→	Question intéressante introduisant le statut des personnages dans les œuvres, mais

	ne pouvant faire l'objet d'une grande partie.
En quoi les héros des trois romans sont-ils des symboles du Christ ?	→ **Première partie**
Les personnages ne miment-ils vraiment rien de divin ? Quelles sont les conséquences de l'absence du divin dans les trois romans ?	→ **Deuxième partie**

Il faut noter que plusieurs questions développent la même idée pour les deuxième et troisième parties. Ces formulations diverses permettent de mieux comprendre la portée de ces idées.

La problématique choisie est donc :

1. En quoi les héros des trois romans sont-ils des symboles du Christ ?

2. Que peut bien signifier le symbole s'il perd le côté divin du modèle ?

ou

Si rien de divin n'est mimé dans les romans, quelles en sont les conséquences ?

3. Comment l'absence du côté divin peut-elle parachever le symbole et lui donner tout son sens ?

ou

Quelles sont les ambitions et les limites des trois projets littéraires ?

La différence de formulation pour une même question tient à la reprise des termes de Romano Guardini ou à une plus grande volonté d'abstraction à partir de ces termes. Cette problématique suit la progression de la pensée qui s'exprime tout en l'éclairant. Elle permet en effet de l'illustrer, mais surtout de réfléchir sur les deux paradoxes qu'elle met en valeur.

Mobiliser les connaissances

– Exemple important : le sacrifice de Manolios pour sauver le village, fondé sur un mensonge humain, n'en est que plus pathétique.

– Toutes les œuvres sont ancrées dans la terre où elle se déroulent, pas de visée historique ou mémorative.

**Approfon-
dissement
et
exemples**
{
– Lien entre hellénisme et christianisme chez Kazantzaki. Le père Photis appelle sa troupe «le sel de la terre» comme le Christ ses apôtres. *Christ recrucifié* = allusion à la terre grecque et à la liberté.

– Les écrivains utilisent l'Ecriture pour interpeller le lecteur et le forcer à prendre position.

**Approfon-
dissement
et
exemples**
{
– Lecteur touché par le sublime de l'action humaine et susceptible de la mimer entièrement.

– «Parfait achèvement du symbole», car appel de l'humain à l'humain pour une action humaine.

– L'absence du divin renvoie à l'action christique ; le lecteur déchiffre une parabole et réinvestit la positivité de l'action christique dans l'action humaine.

– Ambition du projet littéraire = actualisation du message christique et interpellation du lecteur chrétien pour ce faire.

– Dans l'*Idiot*, l'actualisation du message christique échoue du fait que le personnage est un homme qui ne peut en rien mimer le divin.

**Approfon-
dissement
et
exemples**
{
– Déjà dans le projet de Dostoïevski, intention de montrer l'échec d'un homme qui n'est pas le Christ. Contrepied de Renan pour qui le Christ = «homme-divin», qui reste un homme.

– Prince homme bon, qui échoue car il n'est pas Dieu. Si le Christ avait été seulement homme, il aurait donc échoué. Prince = Christ sans Rédemption et sans Résurrection.

– Dans l'*Idiot*, abandon de l'homme du Jardin des Oliviers – Prince et son «démon» dans Jardin d'Eté –.

L'emblème du livre et le tableau de Holbein «le Christ mort», c'est-à-dire un Christ moribond... La confession d'Hippolyte confirme cette idée : l'incarnation a été en définitive mortelle au Christ.

– C'est Kazantzaki qui semble le mieux accomplir ce désir d'actualisation du message christique. Mais on peut se demander s'il n'y a pas dans son roman un dépassement et presque une inversion significatifs du modèle christique.

Approfondissement et exemples

– Première grande partie du livre : *Nouveau Testament* (Jésus instaure des rapports d'amour entre Dieu et les hommes) ; «douceur» de l'*Evangile* de Manolios, acceptation de la part des Sarakiniotes de la souffrance ; le père Photis : «L'adversité nous a ouvert les yeux..., grâces soient rendues à Dieu». C'est le printemps, le soleil, l'icône de la crucifixion aux hirondelles («On eût dit un amandier en fleur» et «au milieu des fleurs et des oiseaux, le Christ souriait» – comme dans première sculpture de Manolios-). Le chemin du salut est «celui qui monte» (Photis à Manolios, Michelis à Yannakos).

– Seconde partie du livre : «la roue des saisons tourne». En hiver, les Sarakiniotes changent et agissent «comme des loups», dans un village appelé «source du loup»... Ils vont demander justice «nu-pieds, comme le Christ», et sont reçus par un «Caïphe». Ils luttent pour une justice temporelle, donc ils se tournent vers Elie, «le Chevalier Elie», «Saint Loup». Retour à *l'Ancien Testament* : vengeance, action guerrière. Quand Photis redescend de la montagne, on croit voir «le prophète Elie en personne... ; le pope semblait marcher au milieu des flammes».

Nouvelle figure du Christ sculpté par Manolios : «C'est la guerre (Michelis) ; Non c'est le Christ – Quelle différence entre lui et la guerre ? – Aucune » (Manolios).

Lien naturel entre le feu du char d'Elie, la nouvelle croix du Christ et «un bidon de pétrole». C'est le chemin de la descente. Manolios meurt «en vain», le 24 décembre, «jour de la naissance du prophète Elie», juste avant la naissance du Christ. Le temps du *Nouveau Testament* recommence alors. Désir final du père

{ Photis de poursuivre «l'oiseau jaune» pour sortir du
tragique éternel retour où le Christ est toujours recrucifié.

– Relation évidente de chaque personnage principal avec le
Christ.

**Approfon-
dissement
et
exemples**

{ – Dostoïevski à sa nièce Sonia : «La pensée principale
est de représenter une nature d'homme absolument
belle... Il n'existe qu'une seule figure absolument
belle, celle du Christ». Dans les *Carnets* : «Le prince,
le Christ».
– Kazantzaki : Manolios = Emmanuel (Dieu avec nous).
– Galdos : *Nazarin* = Jésus le Nazaréen.
– Ressemblance physique avec Christ : Prince («chevelure blonde», «petite barbiche», «grands yeux bleus» ;
Nastassia a l'impression d'avoir «vue sa physionomie
quelque part», à cause des icônes). Manolios («yeux
bleus», «barbiche blonde» ; père Grigoris : «c'est ainsi
que l'on dépeint le Christ»).

– Attitudes christiques symboliques

**Approfon-
dissement
et
exemples**

{ – Pêcheresse pardonnée (*Nazarin* : Andara et Béatriz ;
Le Christ recrucifié : Katerina ; *l'Idiot* : Nastassia).
– Dépossession des richesses et partage des biens (Prince
indifférent à l'argent, pas d'émotion devant son héritage ; Nazarin «rêve la pauvreté», selon le narrateur :
«un ambitieux de la pauvreté»)
– Amour du prochain et défense des êtres faibles, et
persécutés ; pardon des offenses (Prince giflé par
Gania ne réplique pas. Rogojine à Gania «Tu auras
honte Gania, d'avoir insulté une pareille... brebis», le
narrateur surenchérit). L'offense entre dans catégories
morales. Le Prince cherche grâce au pardon à créer des
relations d'amour

– Qualités christiques

{ – Le prince semble dire et être la vérité. Evegueni
Pavlovitch : «Vous êtes un homme sans égal, en ce
sens que vous ne mentez pas à tous les instants, et que,
peut-être même, vous ne mentez jamais». Le prince ne

| Approfon-
dissement
et
exemples | porte pas de masque. Même s'il commet des gaffes sociales, ce sont des occasions de faire sortir une vérité profonde (ex : quand il prononce deux fois le nom de Nastassia). |

– Le divin est absent de la vie publique des personnages christiques des romans. Aucune des grandes séquences de la vie du Christ ne se répète vraiment. Pas d'incarnation, pas de miracles, pas de résurrection. Les personnages ne possèdent que la nature humaine.

| Approfon-
dissement
et
exemples | – *L'Idiot*, marchandage de Nastassia : surenchère de Rogojine à l'offre de Totsky ; le prince offre mariage, mais aussi son héritage à Nastassia. Achat au double sens de rédemption et d'échange commercial. Même moyen que les autres.
– *Nazarin* : pas de miracle ou de rédemption. |

– Le personnage refuse l'identification au Christ. Ce sont les autres qui voient un saint en lui.

| exemples | – Andara à Nazarin : «Je sais que vous êtes un saint»
– Yannakos à Manolios : «Tu es un saint». |

– Tous se considèrent comme des pécheurs.

| Approfon-
dissement
et
exemples | – Nazarin : «Je suis un triste pécheur comme vous autres, je ne suis pas parfait».
– Manolios : «Je suis un pécheur, un grand pécheur».
– Nazarin réagit contre ce qui est selon lui une superstition. Il ramène la guérison de l'enfant à la science.
Son «que vient-tu chercher ?» à Andara suggère le contraire du fameux «quem quaeritis ?»
Refus de s'évader de prison comme Pierre, rejet du supplice de la croix.
Désir de s'assumer comme homme. |

– Cependant il y a des différences entre les personnages. Le Prince fonctionne plus par référence, par analogie, que par homologie.

**Approfon-
dissement
et
exemples**
— D'abord il se présente comme celui qui n'a rien à enseigner (discussion avec générale et ses filles), ensuite il
dit qu'il se peut qu'il ait «au fond l'intention de faire
école». Mais le Prince prêche dans les salons...

— Galdos, au contraire insiste sur le fait que Nazarin décide
«d'abandonner tout intérêt mondain, d'adopter la pauvreté et de
rompre ouvertement avec tous les artifices qui constituent ce que
nous appelons la civilisation».

**Approfon-
dissement
et
exemples**
— Nu-pieds sur les chemins comme le Christ. Vivre dans
le «Madrid du bas» avec les pauvres ne lui suffit pas.
Il va prêcher la bonne parole. Il aide et soigne les
pestiférés, fait «entendre quelques vérités évangéliques». Déclaration à Don Pedro Belmonte : «c'est par
l'exemple qu'il faut prêcher, et non pas une inutile
phraséologie. Il ne suffit pas d'annoncer la doctrine du
Christ, mais de la mettre en pratique et d'imiter sa vie
dans la mesure où il est possible à l'humain d'imiter le
divin».

— Dans le Christ recrucifié, un exemple important dans cet ordre
d'idées. C'est quand Manolios voit arriver le père Photis et sa
troupe qu'il comprend qu'il doit jouer le rôle du Christ dans la
réalité en une identification existentielle.

**Approfon-
dissement**
La découverte de la réalité du Christ entraîne un
conflit avec société. Mime de l'aventure du Christ au
milieu des nouveaux pharisiens qui sont aussi des
chrétiens...

— Les personnages semblent être moins des symboles du Christ
que d'une destinée exemplaire de l'homme cherchant à affirmer
Dieu sur terre.

**Approfon-
dissement
et
exemples**
— Manolios veut «accompagner le Christ au long des
chemins», être son «héraut». L'arrivée du père Photis
permet aux faux apôtres et au faux Christ de révéler
leur part divine. Mais tentation sexuelle pour Manolios (exemple de la chair de la sculpture du Christ qui
devient celle de Katerina : «Fermant les yeux, Manolios se mit à caresser du bout des doigts, lentement,

	tendrement le visage du Christ...» – même rapport du Prince avec Aglaïa et Nastassia-.
Approfon-dissement et exemples	– Désir de sacrifice individuel de Manolios : «pénétrer au Paradis en tenant les instruments du martyre — une couronne d'épines, une croix et cinq clous». Christ = modèle d'un désir égoïste.
	– Nazarin également «recherche les outrages du martyre». Lapsus masochiste quand on lui parle de l'épidémie «Que je suis content ! Non je ne suis pas content...».

– Conflit avec la société du fait de la distorsion entre l'Evangile et la Tradition.

	– La Chanfaina donnerait volontiers «une raclée» à Nazarin parce qu'il est «un saint», «s'il n'y avait pas qu'il est prêtre».
Approfon-dissement et exemples	– Chez Kazantzaki, Patriarchéas oppose la foi en Christ avec «ses justes et saintes paroles, bonnes à entendre à l'église du haut de la chaire !» et la «mise en pratique» où «il faut être fou à lier». Même opposition chez l'Alcade de *Nazarin*.

– Le fait que rien de divin ne se trouve mimé et que le centre du récit soit humain accentue la subversion du modèle christique, la dérive par rapport au modèle du Christ.

	– Prince : être faible, sans pouvoir sur les éléments. Seule attitude évangélique positive dans l'antériorité du livre avec Marie, acceptée grâce à lui par la société. Seul moment de rédemption possible. Prince sans réel projet contrairement au Christ. Tout ce qu'il déclenche semble involontaire et morcelé. Angoisse et perte d'identité. Rêve d'un idéal non historique : le temps où «il n'y aura plus de temps», alors que Christ se situe dans l'histoire. Cela laisse le Prince sans réponse devant le problème du mal. Blocage coupable, pas de repentir salvateur pour la société.
Approfon-dissement et exemples	Par exemple pour Nastassia, le Prince déplace le problème ou reconnaît sa propre impuissance : «Vous n'êtes coupable de rien», «Je sais à n'en pas douter qu'avec moi elle sera perdue...»
	Le Prince ne sauve personne.

– Pour les trois romanciers, la lecture de l'Evangile a besoin d'être réactualisée. Le message christique, oublié, doit être la base d'un nouveau projet social. Manolios est un exemple de cette actualisation quand il va se dénoncer à l'agha comme le meurtrier de Youssoufaki, «se chargeant ainsi de tous les péchés comme le Christ».

– Les trois romans développent différemment le conflit qui préside à l'accueil de la parole christique.

Approfon- dissement et exemples	– Dans *l'Idiot*, pas vraiment de conflit. Mais les personnages accueillent le Prince comme on a accueilli le Christ : refus de reconnaissance, raillerie, humiliation. Seuls les déchus se confient, demandent pardon. – Nazarin attaque les «valeurs» sociales. La propriété : «mot creux inventé par l'égoïsme», le faux savoir des livres, le progrès qui ne sert pas aux pauvres. Opposition avec l'Alcade. – Dans *Le Christ recrucifié*, deux conceptions du Christ. Opposition d'être (père Grigoris ≠ père Photis). Opposition d'attitude (père Grigoris et notables ≠ Manolios, après le meurtre). La guerre est référée à cette double conception ; Patriarchéas à Manolios : «Quel Christ abruti ? Le vôtre pas le mien ! Vous avez fabriqué un Christ à votre image, famélique, périlleux, révolté...» Emergence d'un Christ politique. Mort de Manolios réclamée par les villageois à l'agha qui s'en lave les mains. Manolios meurt dans «l'église du village, dite de la crucifixion», «les bras écartés comme un crucifié», avec la blessure qu'il avait représentée sur deuxième sculpture du Christ, donc le sens littéral du titre est vérifié. – Nazarin : pierres à la tête, coups de pieds. Fin du livre = montée au calvaire, avec le symbole des deux larrons.

– Galdos désire actualiser la parole christique en dénonçant les scandales, les abus et les «valeurs» (propriété, hypocrisie) de la société espagnole. Mais le jeu opéré dans la narration du roman rend son projet littéraire énigmatique.

Approfondissement et exemples

- Le personnage est en fait une création onirique, fantaisiste du narrateur : «un jouet mécanique» qu'il «monte et démonte en pensée»
- Texte «rêvé», récit archétypal de la vie de Jésus.
- Nazarin = Christ malgré lui. Heurt comique entre sa vocation érémitique et ses rencontres (il refuse les disciples, la prédication, les pouvoirs miraculeux - enseignement du catéchisme à deux femmes - il défend la médecine et les théories positives).
- Nazarin = Don Quichotte. «L'Arabe de la Manche», «chroniques nazarinistes» (Cervantes).
- «Le narrateur se cache», mais est en fait toujours présent pour parodier. Exemple : guérison de la petite fille présentée comme une scène de théâtre ; l'enfant se trouve derrière une corde «d'où pendait comme un rideau de théâtre». Arrestation de nuit de Nazarin : «célébration de carnaval», «une farce», avec un «clou de la représentation».
- La fin du roman où la maladie mime le récit, le récit mime la maladie, montre le caractère énigmatique du symbole : qui parle ?

Plan

1. La relation établie par Romano Guardini entre un personnage romanesque et la personne du Christ apparaît aussi dans les deux autres romans.

   A. Les auteurs ont recherché ce rapport avec plus ou moins d'insistance (analogies onomastiques et physiques).

   B. Ce sont surtout les attitudes christiques qui permettent de voir plus précisément dans les personnages des symboles du Christ.

   C. Si l'on ne peut parler d'une vraie attitude christique chez le Prince Mychkine, on voit une imitation du Christ chez Nazarin et une identification existentielle chez Manolios.

   D. Ces expériences débouchent sur un conflit avec la société du fait de la distorsion qui s'est opérée entre l'Evangile et la Tradition.

2. Les personnages des trois romans restent p*ourtant* des hommes et s'en rendent parfaitement compte. Si l'on prend *en effet* les grandes séquences de la vie du Christ, on s'en aperçoit rapidement.

   A. Pas de miracles, pas de résurrection...

   B. Le personnage lui-même refuse l'identification au Christ. Ce sont les autres qui voient en lui un saint.

   C. Le fait que rien de divin ne soit véritablement mimé par le personnage et que le côté humain soit au centre du récit accentue la subversion et la dérive du modèle christique.

3. Il apparaît *cependant* que le personnage, dépourvu de la nature divine du Christ, est investi par contre-coup d'une plus grande humanité.

   A. L'écriture romanesque des trois auteurs n'a pas de visée historique ou mémorative : aucune des œuvres ne se passe en Judée à l'époque de Ponce Pilate ; au contraire, chacune d'elles est fortement ancrée dans la terre où elle se déroule.

   B. C'est Kazantzaki qui semble accomplir le mieux dans son roman ce désir d'actualisation. Mais n'y a-t-il pas dans son roman un dépassement et presque une inversion significatifs du modèle christique ?

   C. En ce qui concerne l'Idiot, on peut se demander si l'actualisation du message christique n'échoue pas du fait que le personnage est un homme qui ne peut rien mimer de divin.

   D. Il est difficile de voir en Nazarin un symbole du Christ à cause du jeu opéré par la narration. Si Galdos désire lui aussi actualiser la parole christique en dénonçant les scandales, les abus et les valeurs de la société espagnole, son projet littéraire apparaît en fait énigmatique...

Plan détaillé du développement

1. La relation établie par Romano Guardini entre un personnage romanesque et la personne du Christ n'est pas un hasard de lecture et apparaît aussi dans les deux autres romans.

A. On remarque en effet que les auteurs ont recherché, avec plus ou moins d'insistance ce rapport.

Notes à rédiger : – Dostoïevski à sa nièce Sonia : «La pensée principale est de représenter une nature d'homme absolument belle... Il n'existe qu'une seule figure absolument belle, celle du Christ». Dans les *Carnets* : «Le prince, le Christ».

– Kazantzaki : Manolios = Emmanuel (Dieu avec nous).

– Galdos : Nazarin = Jésus le Nazaréen.

– Ressemblance physique avec Christ : Prince («chevelure blonde», «petite barbiche», «grands yeux bleus» ; Nastassia a l'impression d'avoir «vu sa physionomie quelque part» à cause des icônes). Manolios («yeux bleus», «barbiche blonde» : Père Grigoris : «c'est ainsi que l'on dépeint le Christ»).

B. Au-delà de cette analogie onomastique et physique, ce sont surtout les attitudes christiques qui permettent de voir plus précisément dans les personnages des symboles du Christ.

Notes à rédiger : – Pécheresse pardonnée (*Nazarin* : Andara et Béatriz ; *Le Christ recrucifié* : Katerina ; *L'Idiot* : Nastassia).

– Dépossession des richesses et partage des biens (Prince indifférent à l'argent, pas d'émotion devant son héritage ; Nazarin «rêve la pauvreté», selon le narrateur : «un ambitieux de la pauvreté»).

– Amour du prochain et défense des êtres faibles, et persécutés ; pardon des offenses (Prince giflé par Gania ne réplique pas. Rogojine à Gania : «Tu auras honte Gania, d'avoir insulté une pareille... brebis», le narrateur surenchérit).

L'offense entre dans catégories morales. Prince cherche grâce au pardon à créer des relations d'amour.

Ces comportements évangéliques permettent de dessiner des figures ayant des qualités christiques.

Notes à rédiger : – Le prince semble dire et être la vérité. Evegueni Pavlovitch : «Vous êtes un homme sans égal, en ce sens que vous ne mentez pas à tous les instants, et que, peut être même, vous ne mentez jamais».

Le Prince ne porte pas de masque. Même s'il commet des gaffes sociales, ce sont des occasions de faire sortir une vérité profonde (ex : quand prononce deux fois le nom de Nastassia).

C. **Mais il n'y a pas à proprement parler de répétition d'une vraie attitude christique chez le Prince. Le personnage fonctionne plus par référence, par analogie que par homologie.**

Notes à rédiger : – D'abord il se présente comme celui qui n'a rien à enseigner (discussion avec la générale et ses filles), ensuite il dit qu'il se peut qu'il ait «au fond l'intention de faire école». Mais le Prince prêche dans les salons…

Au contraire, Galdos insiste sur le fait que Nazarin décide «d'abandonner tout intérêt mondain, d'adopter la pauvreté et de rompre ouvertement avec tous les artifices qui constituent ce que nous appelons la civilisation».

Notes à rédiger : – Nu-pieds sur les chemins comme le Christ. Vivre dans le «Madrid du bas» avec les pauvres ne lui suffit pas. Il va prêcher la bonne parole : il aide et soigne les pestiférés, «fait entendre quelques vérités évangéliques». Déclaration à Don Pedro Belmonte : «C'est par l'exemple qu'il faut prêcher, et non par une inutile phraséologie. Il ne suffit pas d'annoncer la doctrine du Christ, mais de la mettre en pratique et d'imiter sa vie dans la mesure où il est possible à l'humain d'imiter le divin».

Dans Le Christ recrucifié, c'est en voyant arriver le père Photis et sa troupe -symbole du «Christ qui a faim et qui demande l'aumône» que Manolios comprend en quoi consiste le rôle du Christ qu'il doit jouer, non plus en vue d'un mystère, mais dans la réalité même en une identification existentielle.

Notes à rédiger : – La découverte de la réalité du Christ entraîne conflit avec société. Mime de l'aventure du Christ au milieu des nombreux pharisiens qui sont aussi des chrétiens…

D. **Ce conflit avec la société trouve sa raison la plus profonde dans la distorsion qui s'est opérée entre l'Evangile et la Tradition qui a composé avec le siècle.**

Notes à rédiger : – La chanfaina donnerait volontiers «une raclée» à Nazarin parce qu'il est «un saint», «s'il n'y avait pas qu'il est prêtre».

– Chez Kazantzaki, Patriarchéas oppose la foi en le Christ avec «ses justes et saintes paroles, bonnes à entendre à l'église du haut de la chaire !» et la «mise en pratique» où «il faut être fou à lier». Même opposition chez l'Alcade de *Nazarin*.

Pour les trois romanciers, la lecture de l'Evangile a besoin d'être réactualisée. Le message christique, oublié, doit être la base d'un nouveau projet social. C'est en sens que les personnages de ces romans sont des symboles du Christ. Manolios procède à cette actualisation quand il va se dénoncer à l'agha comme meurtrier de Youssoufaki «se chargent ainsi de tous nos péchés, comme le Christ». Les trois romans développent cependant d'une manière différente le conflit qui préside à l'accueil de la parole christique.

Notes à rédiger : – Dans *L'Idiot*, pas vraiment de conflit. Mais les personnages accueillent le Prince comme on a accueilli le Christ : refus de reconnaissance, raillerie, humiliation. Seuls les déchus se confient, demandent pardon.

– Nazarin attaque les «valeurs» sociales. La propriété : «mot creux inventé par l'égoïsme», le faux savoir des livres, le progrès qui ne sert pas aux pauvres. Opposition avec l'Alcade.

– Dans *Le Christ recrucifié*, deux conceptions du Christ. Opposition d'être (père Grigoris ≠ père Photis)

Opposition d'attitude (père Grigoris et notables ≠ Manolios, après le meurtre).

La guerre est référée à cette double conception ; Patriarchéas à Manolios : «Quel Christ abruti ? Le vôtre pas le mien ! Vous avez fabriqué un Christ à votre image, famélique, périlleux, révolté…» Emergence d'un Christ politique.

Mort de Manolios réclamée par les villageois à l'agha qui s'en lave les mains. Manolios meurt dans «l'église du village, dite de la crucifixion», «les bras écartés comme un crucifié», avec la blessure qu'il avait représentée sur deuxième sculpture du Christ, donc le sens littéral du titre est vérifié.

— Nazarin : pierres à la tête, coups de pieds. Fin du
livre = montée au calvaire, avec le symbole des
deux larrons.

Transition : «Mettre en pratique et imiter la vie du Christ dans
la mesure où il est possible à l'humain d'imiter le divin» dit
Nazarin ; «Le Christ avait raison, mais il était Dieu ; pour
l'homme n'est-ce pas une grande présomption de prétendre
suivre les traces de Dieu ?» semble répondre Manolios... Et tel
est bien le paradoxe sur lequel insiste Romano Guardini...

*   *

*

2. Ces personnages «symboles du Christ», ne sont pas le Christ
   revenu sur Terre ; ils restent des hommes et s'en rendent parfaitement compte. Si l'on prend *en effet* les grandes séquences de
   la vie du Christ (origines, fondation de l'Eglise, prédication,
   miracles, charité, conflit avec le pouvoir, souffrances, mort,
   résurrection), on s'en aperçoit rapidement.

   A. De fait, tout ce qui concerne la vie publique peut se répartir
      entre les personnages (Manolios et Nazarin assument pres-
      que l'ensemble, le Prince Mychkine essentiellement la sé-
      quence de la charité), mais tout ce qui est à proprement parler
      divin est absent : les personnages ne sont pas Dieu incarné
      sur terre, ils ne font pas de miracles -même si l'on en attribue
      à Nazarin, il ne se donne pas comme ayant la puissance de les
      accomplir, quant à Manolios, il en est le bénéficiaire-, ils ne
      ressuscitent pas. Or, c'est la résurrection qui vient avérer le
      Christ. Ainsi, de la double nature christique, humaine et
      divine, l'une ne pouvant s'exprimer sans l'autre, les personna-
      ges ne possèdent que la nature humaine ; c'est pour cette
      raison que rien de divin n'est et ne peut être mimé par le
      personnage.

   Notes à rédiger : – *L'Idiot*, marchandage de Nastassia : surenchère
   de Rogojine à l'offre de Totsky ; le Prince offre
   mariage mais aussi son héritage à Nastassia.
   Achat au double sens de rédemption et d'échange
   commercial. Même moyen que les autres.
   – *Nazarin* : pas de miracle ou de résurrection.

B. Il faut noter que le personnage lui-même refuse l'identification au Christ. Ce sont les autres qui voient en lui un saint.

Notes à rédiger : – Andara à Nazarin : «Je sais que vous êtes un saint».

– Yannakos à Manolios : «Tu es un saint».

Mais chacun se considère comme un pécheur.

Notes à rédiger : – Nazarin : «Je suis un triste pécheur comme vous autres, je ne suis pas parfait».

– Manolios : «Je suis un pécheur, un grand pécheur».

– Nazarin réagit contre ce qui est selon lui une superstition. Il ramène la guérison de l'enfant à la science. Son «que viens-tu chercher ?» à Andara suggère le contraire de s'évader de prison ; comme Pierre, rejet du supplice de la croix.

Désir de s'assumer comme homme.

Ce manque premier de l'Incarnation chez les personnages -on pourrait excepter l'Idiot dont l'arrivée en Russie constituerait une Incarnation, mais ce n'est qu'une socialisation : «Je vais vers les hommes» -semble faire d'eux moins des symboles du Christ que de destinées exemplaires d'hommes cherchant à affirmer Dieu sur Terre.

Notes à rédiger : – Manolios veut «accompagner le Christ au long des chemins», être son «héraut». L'arrivée du père Photis permet aux faux apôtres et au faux Christ de révéler leur part divine. Mais tentation sexuelle pour Manolios (exemple de la chair de la sculpture du Christ qui devient celle de Katerina : «Fermant les yeux, Manolios se mit à caresser du bout des doigts, lentement, tendrement le visage du Christ...» - même rapport du Prince avec Aglaïa et Nastassia-).

– Désir de sacrifice individuel de Manolios : «pénétrer au Paradis en tenant les instruments du martyre -une couronne d'épine, une croix et cinq clous».

Christ : modèle d'un désir égoïste.

– Nazarin également «recherche les outrages du martyre».

Lapsus masochiste quand on lui parle de l'épidémie «Que je suis content ! Non je ne suis pas
content...».

C. Le fait que rien de divin, c'est-à-dire essentiellement l'Incarnation et la Résurrection, ne se trouve mimé par le personnage et qu'au contraire c'est le côté humain qui est au centre
du récit, accentuent la subversion du symbole christique, la
dérive par rapport au modèle du Christ.

Notes à rédiger : – Prince : être faible, sans pouvoir sur les événements. Seule attitude évangélique positive dans
l'antériorité du livre avec Marie acceptée, grâce à
lui, par la société. Seul moment de rédemption
possible. Prince sans réel projet contrairement au
Christ. Tout ce qu'il déclenche semble involon-
taire et morcelé. Angoisse et perte d'identité.

Rêve d'un idéal non historique : le temps où «il
n'y aura plus de temps», alors que Christ se situe
dans l'histoire.

Cela laisse le Prince sans réponse devant le
problème du mal. Blocage coupable, pas de repentir salvateur pour la société.

Par exemple pour Nastassia, le Prince déplace le
problème ou reconnaît sa propre impuissance :
«Vous n'êtes coupable de rien», «Je sais à n'en
pas douter qu'avec moi elle sera perdue...»
Le prince ne sauve personne.

Transition : Ainsi, le prince, comme les deux autres personnages, peuvent être les supports d'une intention christique, mais
cette intention apparaît comme dépassée, subvertie, parce que
rien de la nature divine du Christ n'est possédé par un personnage et qu'il ne peut en rien mimer le divin, le salut, la
rédemption et la victoire des valeurs christiques. Y a-t-il alors
«parfait achèvement du symbole» comme le voit Romano
Guardini ? Pourquoi ce décalage par rapport au divin et ses
conséquences inéluctables ?

*   *

*

3.Il apparaît *cependant* que le personnage, dépourvu de la nature divine du Christ, est investi par contre-coup d'une plus grande humanité. Le sacrifice que Manolios fait pour sauver le village a par exemple pour base un mensonge humain et n'en est de ce fait que plus pathétique.

A. Or l'écriture romanesque des trois romanciers n'a pas de visée historique ou mémorative : aucune des œuvres ne se passe en Judée à l'époque de Ponce Pilate ; au contraire chacune d'elles est fortement ancrée dans la terre où elle se déroule.

Notes à rédiger : – Lien entre hellénisme et christianisme chez Kazantzaki. Le père Photis appelle sa troupe «le sel de la terre» comme Christ ses apôtres. *Christ recrucifié* : allusion à la terre grecque et à la liberté.

Si les écrivains ont été interpellés dans leur écriture de façon si intense par l'Ecriture, c'est bien en même temps parce qu'ils pensaient cette écriture comme un moyen d'interpeller le lecteur pour le forcer à prendre position par rapport à l'actualisation humaine qu'ils confèrent au message christique.

Notes à rédiger : – Le lecteur touché par le sublime de l'action humaine et susceptible de le mimer entièrement.

– «Parfait achèvement du symbole» car appel de l'humain à l'humain pour une action humaine.

– L'absence du divin renvoie à l'action christique ; le lecteur déchiffre une parabole et réinvestit la positivité de l'action christique dans l'action humaine.

– Ambition du projet littéraire : actualisation du message christique et interpellation du lecteur chrétien pour ce faire.

B. C'est Kazantzaki qui semble accomplir le mieux dans son roman ce désir d'actualisation. Mais n'y a-t-il pas dans *Le Christ recrucifié* un dépassement et presque une inversion significatifs du modèle christique ?

Notes à rédiger : – Première grande partie du livre : Nouveau Testament (Jésus instaure des rapports d'amour entre Dieu et les hommes et entre les hommes) ; «douceur» de l'Evangile de Manolios, acceptation de la part des Sarakiniotes de la souffrance, père Photis : «L'adversité nous a ouvert les yeux…

grâces soient rendues à Dieu». C'est le printemps,
le soleil, l'icône de la crucifixion aux hirondelles
(«on eût dit un amandier en fleur» et «au milieu
des fleurs et des oiseaux, le Christ souriait» -
comme dans première sculpture de Manolios-).
Le chemin du salut est «celui qui monte» (Photis
à Manolios, Michelis à Yannakos).

– Seconde grande partie du livre : «la roue des
saisons tourne». En hiver les Sarakiniotes changent et agissent «comme des loups», dans village
appelé «source du loup». Ils vont demander justice «nu-pieds, comme le Christ», et sont reçus
par un «Caïphe». Ils luttent pour une justice
temporelle, donc ils se tournent vers Elie, «le
chevalier Elie», «Saint Loup».Retour à l'Ancien
Testament : vengeance, action guerrière. Quand
Photis redescend de la montage, on croit voir «le
prophète Elie en personne... : le pope semblait
marcher au milieu des flammes».

Nouvelle figure du Christ sculptée par Mano-
lios : «C'est la guerre» (Michelis) ; «Non c'est le
Christ - Quelle différence entre lui et la guerre ?
- Aucune». (Manolios).

Lien naturel entre le feu du char d'Elie, la nouvelle croix du Christ et «un bidon de pétrole».
C'est le Chemin de la descente. Manolios meurt
«en vain», le 24 décembre, «jour de la naissance
du prophète Elie, juste avant la naissance du
Christ. Le temps du Nouveau Testament recommence alors. Désir final du père Photis de poursuivre «l'oiseau jaune» pour sortir du tragique
éternel retour où le Christ est toujours recrucifié.

c. Si dans le roman de Kazantzaki l'actualisation doit inverser
le message christique pour s'accomplir, on peut se demander
si, dans *L'Idiot*, l'actualisation du message christique n'échoue
pas du fait que le personnage est un homme qui ne peut en
rien mimer le divin.

Notes à rédiger : – Déjà dans le projet de Dostoïevski, intention de
montrer l'échec d'un homme qui n'est pas le
Christ. Contre-pied de Renan pour qui Christ =
«homme divin», qui reste un homme.

– Prince homme bon qui échoue car il n'est pas

Dieu. Si le Christ avait été seulement homme, il aurait donc échoué. Prince = Christ sans Rédemption et sans Résurrection.

— Dans *L'Idiot*, abandon de l'homme du jardin des Oliviers - Prince et son »démon» dans Jardin d'Eté - L'emblème du livre est le tableau de Holbein «le Christ mort» : c'est-à-dire un Christ moribond...

La confession d'Hippolyte confirme cette idée : l'incarnation a été en définitive mortelle au Christ.

D. Si dans *Le Christ recrucifié* et dans *L'Idiot*, on peut parler d'un personnage symbolique du Christ, tout en soulignant la dérive par rapport au modèle, il est difficile de voir en Nazarin un symbole du Christ à cause du jeu opéré par la narration. Si Galdos désire lui aussi actualiser la parole christique en dénonçant les scandales et les abus de la société espagnole, en contestant les valeurs admises comme la propriété, l'hypocrisie..., son projet littéraire apparaît en fait énigmatique.

Notes à rédiger : — Le personnage est en fait une création onirique, fantaisiste du narrateur : «un jouet mécanique», qu'il «monte et démonte en pensée».

— Texte «rêvé», récit archétypal de la vie de Jésus.

— Nazarin = Christ malgré lui. Heurt comique entre sa vocation érémitique et ses rencontres (il refuse les disciples, la prédication, les pouvoirs miraculeux -enseignement du catéchisme à deux femmes-, il défend la médecine et les théories positives).

— Nazarin = Don Quichotte. «L'Arabe de la Manche», «Chroniques nazarinistes» (Cervantes).

— «Le narrateur se cache», mais est en fait toujours présent pour parodier. Exemple : guérison de la petite fille présentée comme une scène de théâtre ; l'enfant se trouve derrière une corde «d'où pendait comme un rideau de théâtre». Arrestation de nuit de Nazarin : «célébration de carnaval», «une farce», avec un «clou de la représentation».

— La fin du roman où la maladie mime le récit, le récit mime la maladie, montre le caractère énigmatique du symbole : Qui parle ?

Rédaction de la conclusion et de l'introduction

• Conclusion

– *Aboutissement du raisonnement*

Il semble donc que l'on puisse appliquer la réflexion de Romano Guardini aux trois romans : les personnages seraient des «symboles du Christ», mais ils ne mimeraient rien de divin. Demeure cependant la question du «parfait achèvement», qui constitue le centre de la définition du symbole de Romano Guardini. Ce «parfait achèvement» ne peut se lire dans un sens religieux, puisque les personnages échouent en voulant accomplir à nouveau la parole christique. Il y aurait en revanche «parfait achèvement» si l'on reste sur un plan humain. On constate en effet dans les trois romans la présence d'un désir d'actualiser le message christique et d'interpeller le lecteur en vue d'une action humaine sur un monde corrompu. Il est du reste significatif de remarquer que le terme Sodome se trouve dans *L'Idiot* et dans *Le Christ recrucifié*.

– *Elargissement des perspectives*

Cependant, les trois romanciers ont noté à l'intérieur même de leur roman les limites de leur projet, comme si le projet idéologique avait été dépassé par la réalité textuelle, ou comme si chaque auteur marquait une distance le séparant lui-même de son récit. Le passage de l'Ecriture à l'écriture ne permettrait ainsi que subversion ou dérision, ce qui confère aux trois romans leur caractère problématique.

• Introduction

– *Présentation du sujet*

Pourquoi la figure du Christ s'est-elle imposée à trois romanciers -Dostoïevski, Galdos, Kazantzaki- issus de champs socio-culturels différents de la fin du XIXᵉ et du début du XXᵉ siècle, lorsqu'ils ont voulu interroger l'état présent de leur société et de leur vie ? Ne serait-ce pas essentiellement pour mettre en question dans une intention polémique et un projet politique, l'attitude de leurs compatriotes face à un message christique censé organiser leurs modes de vie et d'action. Le problème principal s'inscrit alors dans le rapport entre l'Ecriture sainte et l'écriture romanesque, entre le récit évangélique, la personnalité à la fois humaine et divine du Christ, et le récit ainsi que les personnages romanesques. Rapport de ressemblance, de correspondance ou bien d'analogie ?

Romano Guardini voit, pour sa part, dans le Prince Mychkine un «symbole du Christ», c'est-à-dire une incarnation exemplaire, grâce à un personnage, du message et de la vie du Christ, mais dans laquelle «rien de divin ne se trouve mimé par le personnage en question». A ce premier paradoxe -que peut bien signifier ce symbole s'il perd le côté divin du modèle ?- s'ajoute un second, puisque, pour Romano Guardini, l'absence de ce côté divin para-chève le symbole et lui donne tout son sens.

– Annonce de la problématique du développement

Il faudra donc s'interroger sur les deux versants du symbole -le renvoi au Christ et l'absence du divin- pour voir, en prenant presque le terme de symbole dans son sens étymologique, s'il y a vraiment «parfait achèvement» ou non, et si ce rapport permet de rendre compte du projet littéraire des trois romanciers non seule-ment dans ses ambitions, mais aussi dans ses limites.

Développement

La relation établie par Romano Guardini entre un personnage romanesque et la personne du Christ n'est pas un hasard de lecture et apparaît aussi dans les deux autres romans.

On remarque en effet que les auteurs ont recherché, avec plus ou moins d'insistance, ce rapport. Ainsi Dostoïevski écrit à sa nièce Sonia : *«La pensée principale est de représenter une nature d'homme absolument belle... Il n'existe qu'une seule figure abso-lument belle, celle du Christ»*. Le rapprochement de ces deux observations, que l'on peut considérer comme les prémisses d'un syllogisme, aboutit à la conclusion inscrite dans les *Carnets* : «Le prince, le Christ». Bien plus, c'est dans le nom même de leur personnage que Kazantzaki et Galdos inscrivent cette relation : le nom de Manolios renvoie à l'un des noms donnés au Christ, Em-manuel -c'est-à-dire «Dieu avec nous»- et celui de Nazarin à Jésus le Nazaréen -avec ce jeu sur le nom Don Nazarin Zaharin-. Deux personnages sont en outre dotés d'une certaine ressemblance physique avec le Christ : le Prince a une «chevelure blonde», une «petite barbiche» et de «grands yeux bleus» et si Nastassia à l'impression d'avoir «vu sa physionomie quelque part», c'est sans doute à cause du visage du Christ sur les icônes ; de même Manolios est choisi pour jouer le rôle du Christ parce qu'il a des «yeux bleus» et une «barbiche blonde» et que «c'est ainsi que l'on dépeint le Christ» dit le père Grigoris ; au contraire, la référence icônique manque pour Nazarin.

Au delà de cette analogie onomastique et physique, ce sont surtout les attitudes christiques qui permettent de voir plus précisément dans les personnages des symboles du Christ : la pécheresse pardonnée (Andara et Béatriz dans *Nazarin*, Katerina dans *Le Christ recrucifié*, Nastassia dans *L'Idiot*) ; la dépossession des richesses et le partage des biens (le Prince Mychkine manifeste une indifférence complète à l'égard de l'argent -il ne laisse paraître aucune émotion particulière lorsqu'il apprend qu'un héritage d'un million de roubles va bientôt lui échoir- ; de même Nazarin «rêve la pauvreté» et est désigné par le narrateur comme «un ambitieux de la pauvreté») ; l'amour du prochain et la défense des êtres faibles et persécutés ; le pardon des offenses : ainsi le prince giflé par Gania ne réplique pas et Rogojine dit à l'offenseur : «*Tu auras honte Gania, d'avoir insulté une pareille… brebis*», le narrateur ajoutant qu'il ne sait trouver un autre mot, sans doute parce que le prince est bien la brebis… «qui efface les péchés du monde» ; l'offense est donc sortie des catégories mondaines pour entrer dans les catégories morales, et le Prince, par le biais du pardon, cherche à instaurer de nouvelles relations fondées sur l'amour. Ces comportements évangéliques permettent de dessiner des figures ayant des qualités christiques. Le Prince semble toujours dire la vérité, et même être la vérité : «*Vous êtes un homme sans égal, en ce sens que vous ne mentez pas à tous les instants, et que, peut-être même, vous ne mentez jamais*» lui dit Evegueni Pavlovitch. Il est le seul, dans une société masquée, à ne pas porter de masques et ses actes, s'ils apparaissent socialement comme des gaffes, des imbécillités, font en fait surgir une vérité enfouie en rompant l'opacité sociale. C'est pas exemple le cas les deux fois où il prononce le nom de Nastassia Philippovna, d'abord devant le général et Gania, puis devant la générale et ses filles.

Mais il n'y a pas à proprement parler de répétition d'une vraie attitude christique chez le Prince. Le personnage fonctionne plus par référence, par analogie que par homologie. Même s'il se présente d'abord, dans la discussion avec la générale et ses filles, comme celui qui n'a rien à enseigner et s'il avoue ensuite qu'il est possible qu'il ait «au fond l'intention de faire école», le Prince prêche en fait l'exemple... dans les salons... Au contraire Galdos insiste sur le fait que Nazarin décide «*d'abandonner tout intérêt mondain, d'adopter la pauvreté et de rompre ouvertement avec tous les artifices qui constituent ce que nous appelons la civilisation*». Il s'en va ainsi nu-pieds sur les chemins, tel le Christ, donner le véritable exemple d'une attitude christique. Vivre dans le «Madrid du bas», au milieu des pauvres, en partageant avec eux ses maigres ressources, ne lui semble pas suffisant pour accomplir la parole christique ; et c'est de sa propre initiative -l'événement qui crée la rupture, l'incendie de l'auberge de la Chanfaina, n'ayant qu'un rôle de catalyseur- qu'il se met en route pour prêcher la bonne parole soit en aidant et en soignant les pestiférés, soit en allant «faire entendre quelques vérités évangéliques» ; à Don Pedro Belmonte, Nazarin déclare : «*C'est par l'exemple qu'il faut prêcher, et non par une inutile phraséologie. Il ne suffit pas d'annoncer la doctrine du Christ, mais de la mettre en pratique et d'imiter sa vie dans la mesure où il est possible à l'humain d'imiter le divin*». Dans le *Christ recrucifié*, c'est en voyant arriver le père Photis et sa troupe -symbole du «Christ qui a faim et qui demande l'aumône» que Manolios comprend en quoi consiste le rôle du Christ qu'il doit jouer, non plus en vue d'un mystère, mais dans la réalité même, une identification existentielle. C'est cette découverte avec la réalité du Christ qui va entraîner le conflit avec la société ; il s'agira alors de mimer l'aventure du Christ au milieu des nouveaux pharisiens, mais ceux-ci, et là est le point essentiel, sont eux aussi des chrétiens.

Ce conflit avec la société trouve sa raison la plus profonde dans la distorsion qui s'est opérée entre l'Evangile et la Tradition qui a composé avec le siècle ; cette distorsion apparaît bien dans *Nazarin* lorsque la Chanfaina avoue qu'elle donnerait volontiers «une raclée» à Nazarin parce qu'il est «un saint», «s'il n'y avait pas qu'il est prêtre» ; de même dans *Le Christ recrucifié*, mais avec une intention plus marquée de l'auteur, Patriarchéas oppose la foi en Christ avec «*ses justes et saintes paroles, bonnes à entendre à l'église du haut de la chaire !*» et la «mise en pratique» où «il faut être fou à lier». La même opposition se trouve dans les paroles de l'alcade dans *Nazarin*.

Pour les trois romanciers, la lecture de l'Evangile a besoin d'être réactualisée. Le message christique, oublié, doit être la base d'un nouveau projet social. C'est en ce sens que les personnages de ces romans sont des «symboles du Christ». Manolios procède à cette actualisation quand il va se dénoncer à l'agha comme meurtrier de Youssoufaki «se chargeant ainsi de tous nos péchés, comme le Christ». Les trois romans développent cependant d'une manière différente le conflit qui préside à l'accueil de la parole christique. Dans L'Idiot, il n'existe pas vraiment. Il faut cependant noter que les personnages du roman accueillent le Prince comme on a accueilli le Christ ; ils refusent d'abord de le reconnaître, le raillant et l'humiliant même avant de comprendre. Ceux qui éprouvent un sentiment de déchéance adoptent l'attitude traditionnelle du pécheur face au Christ : ils se confient à lui, implorent son pardon. Nazarin, pour sa part, s'attaque plus franchement aux «valeurs» prônées par la société : la propriété «mot creux inventé par l'égoïsme», le faux savoir livresque, le progrès, qui n'a pas empêché le nombre des pauvres d'augmenter. Il ne fait pourtant pas de doute pour l'Alcade que si le Christ revenait, il dirait «Voilà mon siècle», ce à quoi Nazarin répond «Taisons-nous». Il y a en fait une opposition entre deux conceptions du Christ. Elle éclate dans *Le Christ recrucifié*. Il s'agit aussi bien d'une opposition d'être -marquée par la description parallèle des deux popes aux deuxième et dernier chapitres : le père Grigoris est «replet» tandis que le père Photis est «décharné»- que d'une opposition d'attitude -entre le père Grigoris et les notables d'une part et Manolios d'autre part, lorsqu'ils se retrouvent devant l'agha après le meurtre de Youssouf : fausse attitude christique où l'on cache sa lâcheté ou sa pingrerie d'un côté, vraie attitude christique toute sacrificielle de l'autre-. Et cette opposition qui explose en guerre entre chrétiens est nettement référée à une double conception du Christ : «*Quel Christ abruti ? Le vôtre pas le mien ! vous avez fabriqué un Christ à votre image, famélique, périlleux, révolté…*» dit Patriarchéas à Manolios-. Il faut d'ailleurs noter l'émergence d'un Christ politique différent du Christ évangélique qui, s'il a affirmé son autorité, n'a jamais revendiqué le pouvoir… Le modèle christique est du reste fortement accentué par l'auteur puisque la mort de Manolios est réclamée par les villageois à l'agha qui prononce un «Je m'en lave les mains». De plus Manolios meurt dans «l'église du village, dite de la Crucifixion», «les bras écartés comme un crucifié», avec la blessure qu'il avait représentée sur la deuxième sculpture du Christ, ce qui vérifie au sens littéral le titre du livre. De même Nazarin reçoit des pierres à la tête, des coups de pied et la fin du livre peut être considérée comme une sorte de montée au calvaire, avec par exemple l'épisode évangélique des «deux larrons» aux noms symbolisés par la majuscule : le Parricide et le Sacrilège.

«*Mettre en pratique et imiter la vie du Christ dans la mesure où il est possible à l'humain d'imiter le divin*» dit Nazarin ; «*Le Christ avait raison, mais il était Dieu ; pour l'homme n'est-ce pas une grande présomption de prétendre suivre les traces de Dieu ?*» semble répondre Manolios... Et tel est bien le paradoxe sur lequel insiste Romano Guardini...

*   *

*

Ces personnages «symboles du Christ», ne sont pas le Christ revenu sur terre ; ils restent des hommes et s'en rendent parfaitement compte. Si l'on prend en effet les grandes séquences de la vie du Christ (origines, fondation de l'Eglise, prédication, miracles, charité, conflit avec le pouvoir, souffrances, mort, Résurrection), on s'en aperçoit rapidement.

De fait tout ce qui concerne la vie publique peut se répartir entre les personnages (Manolios et Nazarin assument presque l'ensemble, le Prince Mychkine essentiellement la séquence de la charité), mais tout ce qui est à proprement parler divin est absent : les personnages ne sont pas Dieu incarné sur terre, ils ne font pas de miracles -même si on en attribue à Nazarin, il ne se donne pas comme ayant la puissance de les accomplir, quant à Manolios, il en est le bénéficiaire-, ils ne ressuscitent pas. Or, c'est la Résurrection qui vient avérer le Christ. Ainsi, de la double nature christique, humaine et divine, l'une ne pouvant s'exprimer sans l'autre, les personnages ne possèdent que la nature humaine ; c'est pour cette raison que rien de divin n'est et ne peut être mimé par le personnage. Par exemple, à la fin de la première partie de *L'Idiot*, se joue le marchandage de Nastassia : Rogojine surenchérit aux soixante-quinze mille roubles de Totsky pour le mariage de

Nastassia avec Gania, en offrant cent mille roubles à Nastassia si elle le suit. Quant au Prince, il offre également le mariage à Nastassia, un mariage qui se veut un rachat de la pécheresse. Son sentiment et son intention sont christiques, mais son offre s'accompagne de son héritage. Il rachète Nastassia au double sens de la rédemption et de l'échange commercial, car l'argent du Prince n'a rien de divin. C'est le moyen, matériel et humain par excellence qu'utilisent également Totsky et Rogojine. De même Nazarin va, dans un sentiment christique, lutter contre l'épidémie, mais il n'accomplit aucun miracle, aucune Résurrection, se contentant de soulager les mourants et d'enterrer les morts, parce qu'il ne peut en rien mimer de divin. Mais ce manque initial de la nature divine n'éloigne-t-il pas en fait le personnage du Christ ?

Il faut noter que le personnage lui-même refuse l'identification au Christ. Ce sont les autres qui voient en lui un saint : «Je sais que vous êtes un saint» dit Andara à Nazarin, «Tu est un saint» dit Yannakos à Manolios. Mais chacun se considère comme un pécheur : «Je suis un triste pécheur comme vous autres, je ne suis pas parfait» répond Nazarin, «Je suis un pécheur, un grand pécheur» proteste Manolios. Nazarin réagit d'ailleurs violemment contre ce qui n'est pour lui que de la superstition, car le croire capable de faire des miracles est aussi sacrilège que blasphématoire. Il lie la guérison de l'enfant à la science, son «Que viens-tu chercher ?» à Andara renvoie au fameux «quem quaeritis ?» de l'ange aux femmes venues prendre le corps du Christ mort, mais sur le mode inverse : Andara vient chercher un Dieu, Nazarin n'est qu'un homme. De même Nazarin refuse de s'évader de prison à la fin du livre comme l'apôtre Pierre et dans son «calvaire hallucinatoire», il rejette le supplice de la croix. Il entend assumer la condition humaine, la grandeur de l'homme. Ce manque premier de l'Incarnation chez les personnages -on pourrait excepter *L'Idiot* dont l'arrivée en Russie constituerait une Incarnation, mais ce n'est en fait qu'une socialisation : «Je vais vers les hommes» - semble faire d'eux moins des symboles du Christ que de destinées exemplaires d'hommes cherchant à affirmer Dieu sur terre. Ainsi Manolios se révèle comme celui qui veut «accompagner le Christ au long des chemins», devenir son «héraut». Il ne s'agit pas pour lui de s'identifier au Christ, ni d'être un symbole christique. Le jeu de la représentation permet au faux Christ et aux faux apôtres, avec l'arrivée du groupe du père Photis, de révéler la part divine qui est en eux. Il n'en demeure pas moins, par exemple, que Manolios a, pour sa part, bien du mal à vaincre la tentation sexuelle. La première figure du Christ qu'il sculpte peut d'ailleurs apparaître comme la concrétisation de ses désirs. En effet, Manolios, par un tour de passe passe, substitue la chair du Christ à celle de Katerina : «*Fermant les yeux, Manolios se mit à caresser du bout des doigts, lentement, tendrement, le visage du Christ...*» On pourrait de même étudier le rapport du Prince avec Aglaïa et Nastassia. En outre, quand Manolios a la révélation de ce qu'il doit faire -se dénoncer à l'agha pour sauver le village- c'est un désir purement individuel qui le pousse, son désir de sacrifice : «*pénétrer au Paradis en tenant les instruments du martyre - une couronne d'épines, une croix et cinq clous*». Le Christ n'est donc que le modèle d'un désir égoïste. De même Nazarin «recherche les outrages et le martyre» ; du reste, ne pourrait-on pas aller jusqu'à parler chez lui de désir masochiste quand il apprend l'existence d'une épidémie et fait ce lapsus : «Que je suis content ! Non je ne suis pas content... » ?

Le fait que rien de divin, c'est-à-dire essentiellement l'Incarnation et la Résurrection, ne se trouve mimé par le personnage et qu'au contraire c'est le côté humain qui est au centre du récit, accentue la subversion du symbole christique, la dérive par rapport au modèle du Christ. Le Prince apparaît par exemple comme un être faible, dénué de maîtrise sur les événements. Sa seule action positive appartient à l'antériorité du livre : c'est l'épisode de Marie, emblème d'une attitude évangélique. Marie cumule en elle les figures du pécheur : Madeleine, le fils prodigue, le pauvre d'esprit, l'objet de répulsion. Or le Prince Mychkine va parvenir à la faire aimer des enfants et même à la faire accepter par la société qui la rejetait. C'est le seul moment du livre où le mal apparaît comme un moment dépassable où la rédemption est possible. En fait dans la société russe, le Prince apparaît comme un être sans projet réel, à la différence du Christ dont le projet dynamique est de prendre en main la cause du monde, de redonner à l'homme son identité et son unité. Il déclenche des événements involontaires. Plus qu'à un dessein, il semble obéir à un destin dont la courbe ne tend pas vers une plénitude mais vers un morcellement de soi. Il est un objet qui subit une angoisse intérieure sur laquelle il n'a pas de prise. L'angoisse des doubles pensées le conduit d'ailleurs à une dissociation qui débouche sur la perte même de l'identité. La maladie l'aliène, mais elle est seule à permettre le rêve d'une époque d'unité à retrouver. Le Prince rêve ainsi à un temps d'avant la faute auquel répond un temps d'après l'apocalypse -le temps où justement «il n'y aura plus de temps»-, à un idéal non historique, alors que Christ se situe dans l'histoire, mais le temps du livre est inopérant et pure destruction. Son absence de projet et de liberté laisse le Prince Mychkine sans ressources et sans réponse devant le problème du mal, indépassable. La problématique de la salvation est par la même faussée, la société reste bloquée dans la culpabilité et ne connaît pas l'itinéraire salvateur du repentir. Au contraire, ce qui est majoré, c'est la culpabilité à laquelle prend plaisir Nastassia. Le Prince ne fait que déplacer le problème ou déclarer son impuissance à propos de la jeune femme : «Vous n'êtes coupable de rien», «Je sais à n'en pas douter qu'avec moi elle sera perdue…». Il ne sauve personne et atteste sa faiblesse face aux forces du mal qui l'entourent. Comment voir dans cet échec total un symbole du Christ ?

Ainsi, le Prince, comme les deux autres personnages, peuvent être les supports d'une intention christique, mais cette intention apparaît comme dépassée, subvertie, parce que rien de la nature divine du Christ n'est possédé par un personnage et qu'il ne peut en rien mimer le divin, le salut, la Rédemption et la victoire des valeurs christiques. Y a-t-il alors «parfait achèvement du symbole» comme le voit Romano Guardini ? Pourquoi ce décalage par rapport au divin et ses conséquences inéluctables ?

*   *

*

Il apparaît cependant que le personnage, dépourvu de la nature divine du Christ, est investi par contre-coup d'une plus grande humanité. Le sacrifice que Manolios fait pour sauver le village a par exemple pour base un mensonge humain et n'en est de ce fait que plus pathétique.

Or l'écriture romanesque des trois romanciers n'a pas de visée historique ou mémorative : aucune des œuvres ne se passe en Judée à l'époque de Ponce Pilate ; au contraire chacune d'elles est fortement ancrée dans la terre où elle se déroule. Il faut noter en particulier le lien entre l'hellénisme et le christianisme chez Kazantzaki. Le père Photis appelle sa troupe «le sel de la terre» ; c'est ainsi que le Christ nommait ses apôtres, de sorte que *Le Christ recrucifié* est en fait la terre grecque et la liberté.

Si les écrivains ont été interpellés dans leur écriture de façon si intense par l'Ecriture, c'est bien en même temps parce qu'ils pensaient cette écriture comme un moyen d'interpeller le lecteur pour le forcer à prendre position par rapport à l'actualisation humaine qu'ils confèrent au message christique. En ce sens, le lecteur pourra être touché par le sublime de l'action humaine, action qu'il est susceptible de mimer entièrement. On peut alors parler de «parfait achèvement du symbole» dans la mesure où l'humain fait appel à l'humain en vue d'une action humaine. L'absence du divin renvoie à une action christique et le lecteur, rétablissant le lien qui livre les romans comme des paraboles, peut seul accomplir ce réinvestissement de la positivité de l'action christique dans l'action humaine. Le projet littéraire a ainsi pour ambition la nécessaire actualisation du message christique et l'interpellation du lecteur chrétien en vue de cette actualisation.

C'est Kazantzaki qui semble accomplir le mieux dans son roman ce désir d'actualisation. Mais n'y a-t-il pas dans *Le Christ recrucifié* un dépassement et presque une inversion significatifs du modèle christique ? La première grande partie du livre est placée sous le signe du Nouveau Testament -dans lequel Jésus vient instaurer de nouveaux rapports d'amour entre Dieu et les hommes et entre les hommes eux-mêmes-. C'est la «douceur» de l'Evangile lu par Manolios, la résignation des Sarakiniotes et l'acceptation de la souffrance comme un don béni de Dieu. Comme le dit le père Photis : «*L'adversité nous a ouvert les yeux... grâces soient rendues à Dieu*». La nature aide les Sarakiniotes à supporter leurs souffrances, car c'est le temps du printemps, du soleil et l'emblème de ce moment du livre est l'icône de la crucifixion aux hirondelles. «On eût dit un amandier en fleur» et «au milieu des fleurs et des oiseaux, le Christ souriait» ; comme il sourit dans la première sculpture de Manolios. Le chemin du salut, le chemin christique est «celui qui monte», ainsi que le dit le père Photis à Manolios, puis Michelis à Yannakos.

Mais «la roue des saisons tourne». A l'hiver correspond un changement d'attitude des Sarakiniotes. Devant le manque d'indulgence des habitants de Lycorussi, qui se conduisent «comme des loups», dans un village qui s'appelle la «source du loup», le père Photis et ses compagnons désirent une justice temporelle, vont voir le Despote, «nu-pieds, comme le Christ», et sont reçus par lui comme «Caïphe» a dû recevoir le Christ. Et ce n'est plus alors vers le Christ qu'ils vont se tourner, puisque la lutte pour une justice temporelle ne se trouve pas dans le message christique, mais vers «Elie», «le chevalier Elie», «Saint-Loup». Ainsi se produit l'inversion. On retourne à l'Ancien Testament, au temps du Dieu vengeur, Yahvé, au temps de l'action guerrière. Le père Photis monte s'adresser au prophète Elie et quand il redescend du sommet de la montagne, on croit voir *«le prophète Elie en personne… : le pope semblait marcher au milieu des flammes»*. La nouvelle figure du Christ sculptée par Manolios répond à ce revirement. «C'est la guerre» dit Michelis en la voyant» *-Non c'est le Christ - Quelle différence entre lui et la guerre ? - Aucune»*. Le lient entre le feu du char d'Elie et la nouvelle croix du Christ, «un bidon de pétrole» se fait naturellement. Le chemin devient celui de la descente dans cette inversion du temps biblique. Manolios meurt «en vain» le 24 décembre, «jour de naissance du prophète Elie», juste avant la naissance du Christ. La boucle est tournée. Le temps du Nouveau Testament recommence. Au vertige de Michelis devant la roue des saisons, la roue de l'histoire des hommes, la roue de l'histoire du Christ, répond le désir final du père Photis de toujours poursuivre jusqu'à sa mort «l'oiseau jaune», de sortir enfin du temps tragique de l'éternel retour où le Christ est sans cesse recrucifié…

Si dans le roman de Kazantzaki l'actualisation doit inverser le message christique pour s'accomplir, on peut se demander si, dans *L'Idiot*, l'actualisation du message christique n'échoue pas du fait que le personnage est un homme qui ne peut en rien mimer le divin. Le projet de Dostoïevski était de *«représenter une nature d'homme absolument belle»*. Pour lui *«n'existe qu'une seule figure absolument belle, celle du Christ»* ; mais déjà dans ces deux phrases se lit son intention de montrer l'échec d'un homme, justement parce qu'il n'est pas le Christ. Dostoïevski semble prendre ainsi le contre-pied de Renan qui dans sa vie de Jésus voit dans le Christ un «homme divin», mais qui reste un homme. Le Prince Mychkine est un homme parfaitement bon, mais qui, à l'inverse du Christ de

Renan, ne peut réussir parce qu'il n'est pas divin. Si le Christ avait été seulement un homme, il aurait donc échoué. Si le Prince est, du fait de quelques traits, une figure christique, il n'en demeure pas moins qu'il s'agit d'un Christ sans Rédemption et sans Résurrection. Le temps de *L'Idiot* est celui de l'abandon de l'homme, du Christ du Jardin des Oliviers -du Prince Mychkine possédé par son «démon» dans le Jardin d'Eté-. L'emblème du livre serait ainsi le tableau de Holbein, «le Christ mort», où le Christ est perçu dans son aspect humain, douloureux, au point le plus aigu de l'humanité : la mort. Et Hippolyte, qui dans sa confession parle à nouveau du tableau, développe une idée théologiquement insensée mais combien révélatrice du sens du roman : le Christ est bien venu, mais l'incarnation lui a été en définitive mortelle.

Si dans *Le Christ recrucifié* et dans *L'Idiot*, on peut parler d'un personnage symbolique du Christ, tout en soulignant la dérive par rapport au modèle, il est difficile de voir en Nazarin un symbole du Christ du fait du jeu opéré par la narration. Si Galdos désire lui aussi actualiser la parole christique en dénonçant les scandales et les abus de la société espagnole en contestant les valeurs admises comme la propriété, l'hypocrisie..., son projet littéraire apparaît en fait énigmatique. En effet, le personnage censé être un symbole du Christ, est une création onirique, fantaisiste du narrateur, «un jouet mécanique» qu'il «monte et démonte en pensée». Dans ce texte «rêvé», la vie de Nazarin se conforme au récit archétypal de la vie de Jésus. Mais Nazarin est un Christ malgré lui. Sa vocation érémitique se heurte comiquement aux nombreuses rencontres qu'il fait au hasard ; il refuse les disciples, la prédication, les pouvoirs miraculeux, devient le mentor de deux femmes auxquelles il apprend le catéchisme, défend la médecine et adopte même des théories positives quand il ne veut pas voir de démons dans le corps de Béatriz. Nazarin apparaît plus un Don Quichotte sur les chemins qu'un nouveau Christ. Le narrateur le désigne souvent comme «l'Arabe de la Manche», parle des «chroniques nazarinistes» en reprenant la formule de Cervantes. L'auteur avait certifié que «le narrateur se cache» ; or ce narrateur est constamment présent à parodier les attitudes évangéliques, à désamorcer son personnage. Le «miracle» de la guérison de la petite fille est présenté comme une scène de théâtre ; l'enfant se trouve en effet derrière une corde «d'où pendait comme un rideau de théâtre».

Quant à l'arrestation de nuit de Nazarin, elle devient une «célébration de carnaval», «une force», avec un «clou de la représentation». La fin du roman, qui suit le cheminement de la maladie de
Nazarin et où la maladie mime le récit et le récit la maladie, vient
consacrer le caractère énigmatique du symbole. Qui parle à la fin
du roman ? Jésus ou la voix d'un malade ? A moins que la folie
divine et la folie humaine ne soient qu'un seul et même élément...

*   *

*

IV. Applications partielles

1. Sujets généraux

> I. La biographie d'un écrivain est-elle indispensable pour comprendre son œuvre ?

Problématique

1. Est-il vraiment nécessaire de maîtriser également la vie privée de l'écrivain pour comprendre l'œuvre ?
2. N'existe-t-il pas des œuvres fondées sur la vie qui sont des œuvres à part entière ?
3. Quelle importance donner à la biographie ?

Plan

1. Connaître la vie privée d'un écrivain ne présente pas d'intérêt pour pouvoir lire une œuvre.
   A. Certains détails biographiques sont dans cette optique tout à fait déplacés.
   B. Les recherches de petits détails concernant les écrivains célèbres atteignent des excès regrettables.
   C. Pour un grand nombre d'écrivains, l'œuvre seule est à considérer.

2. *Cependant* une œuvre peut être créée à partir du vécu. *En effet*, les carnets, les journaux, les mémoires, l'autobiographie sont, surtout depuis Rousseau, des œuvres à part entière.

A. Le «Je» a trouvé ses lettres de noblesse dans la Littérature.

B. Les écrivains transposent souvent des aventures ou des sentiments personnels.

C. Il apparaît ainsi nécessaire de maîtriser certains détails de leur vie pour mieux entrer ou même seulement entrer dans leur œuvre.

3. *Alors* quelle est l'importance à donner *en réalité* à la vie privée de l'écrivain pour saisir une œuvre ?

A. Certaines péripéties biographiques orientent l'interprétation d'une œuvre.

B. En fait , c'est surtout l'histoire de l'œuvre qui compte.

C. «La biographie d'un artiste, c'est sa biographie d'artiste» Malraux.

Plan détaillé du développement

1. Connaître la vie privée d'un écrivain ne présente pas d'intérêt pour pouvoir lire une œuvre.

A. Certains détails biographiques sont dans cette optique tout à fait déplacés.

Notes à rédiger : – Molière fils d'un tapissier ordinaire du roi.

  – Corneille âgé, trop pauvre pour s'acheter une paire de chaussures neuves.

  – Intérêt pour mieux comprendre leur théâtre ?

B. Les recherches de petits détails concernant les écrivains célèbres atteignent des excès regrettables.

Notes à rédiger : – Éléments scandaleux privilégiés. Biographies dans lesquelles l'auteur dans son œuvre est absent.

L'auteur est-il donc plus important que l'œuvre ?

La recherche érudite, qui puise dans la personnalité de l'écrivain une explication de l'œuvre peut conduire à un autre type d'excès.

Notes à rédiger : – Réflexion de Sainte-Beuve sur Stendhal, Flaubert, Baudelaire, très intéressante, mais danger

car la critique explicative devient souvent méca-
niste.

C. Pour un grand nombre d'écrivains, l'œuvre seule est à considérer.

Notes à rédiger : – Flaubert : «L'œuvre est tout». Les créateurs sont
contre toute intrusion de leur vie personnelle
dans leur art. Malgré la tentation romantique,
Flaubert : «J'éprouve une répulsion invincible à
mettre sur le papier quelque chose de mon cœur».
Même réaction chez les Parnassiens.

Transition : Il n'en demeure pas moins cependant qu'un certain
nombre d'écrivains créent une œuvre à partir d'éléments du
vécu.

*   *
*

2. *En effet*, les carnets, les journaux et à plus forte raison les
mémoires ou l'autobiographie sont, surtout depuis Rousseau,
des œuvres à part entière.

A. Le «Je» a trouvé ses lettres de noblesse dans la Littérature.

Notes à rédiger : – Le Romantisme est héritier de ce mouvement
dans l'œuvre quelle que soit sa forme : poésie,
roman, théâtre. Ex : *Les Nuits* de Musset.

Mais même avant Rousseau, Montaigne dans *Les Essais* parle
de son moi et l'analyse, quant à Du Bellay, c'est son propre cœur
nostalgique et angoissé qu'il évoque dans ses poèmes élégiaques.

Notes à rédiger : – Du Bellay, *Les Regrets :*
«Je me plains à mes vers si j'ai quelque regret
Je me ris avec eux, je leur dis mon secret
Comme étant de mon cœur les plus sûrs secré-
taires»

B. Si les écrivains ne racontent pas toujours leur vie, ils transposent souvent des aventures ou des sentiments personnels.

Notes à rédiger : – Ex : Voltaire dans *Candide* (le tremblement de
terre de Lisbonne, son expérience effrayante à la
cour de Frédéric II de Prusse…).

Il apparaît ainsi tout à fait nécessaire de connaître et même de maîtriser certains détails de la vie personnelle des écrivains pour mieux entrer ou même seulement entrer dans leur œuvre.

Notes à rédiger : – Molière et l'Illustre Théâtre : recherche de formes nouvelles, observation de types (précieuses, dévots, médecins).

– Stendhal et sa jeunesse napoléonienne pour comprendre l'épisode de Waterloo dans *La Chartreuse de Parme*.

Transition : La vie privée de l'écrivain occupe donc une place dans la compréhension profonde de l'œuvre. Mais laquelle exactement ?

*   *
*

3. *Alors* quelle est l'importance à donner *en réalité* à la vie privée de l'écrivain pour saisir une œuvre ?

A. Il est vrai que certaines péripéties biographiques orientent l'interprétation d'une œuvre.

Notes à rédiger : – L'œuvre de Gide aurait-elle eu le même caractère sans l'éducation rigoriste à laquelle l'auteur a été soumis ?

– Flaubert n'a-t-il pas soutenu : «Madame Bovary, c'est moi» ?

Mais orienter une interprétation ne signifie pas faire comprendre une œuvre. En outre, un écrivain n'est pas un grand artiste parce qu'il parle de son moi...

Notes à rédiger : – Dans le poème «Ma Bohème» de Rimbaud, la fugue ne constitue qu'un élément de départ.

– Il y a des carnets, des journaux, des mémoires ou des autobiographies qui ne sont nullement des œuvres d'art, mais uniquement des documents.

B. En fait, plus que la petite histoire de l'auteur, c'est surtout l'histoire de l'œuvre qui compte.

Notes à rédiger : – Par exemple, on ne comprend pas les œuvres de Montesquieu, Voltaire, Rousseau, sans se référer aux contextes social, politique et historique.

– De plus, il existe des œuvres magnifiques dont

les auteurs ne sont pas vraiment connus (Homère, Shakespeare) qui se suffisent à elles-mêmes.

c. Du reste, dans quelque œuvre que ce soit, la personnalité de l'auteur apparaît-elle clairement ? Et les recherches biographiques elles-mêmes nous livrent-elles véritablement la personnalité de celui qui a créé ?

Notes à rédiger : – Le moi social et le moi profond de l'écrivain peuvent être très différents. Proust : «Le Livre est le produit d'un autre moi que celui que nous manifestons dans nos habitudes, dans la société».

– Apport dans cet ordre d'idées de la psychanalyse. A l'instar de Freud qui parvient à mettre en rapport pour Léonard de Vinci, les angoisses et les obsessions de l'artiste avec la création de l'œuvre, la psychocritique s'efforce de découvrir le moi profond qui intervient dans le livre.

Il n'en demeure pas moins, comme l'affirme Malraux que la «biographie d'un artiste, c'est sa biographie d'artiste». Mais une biographie du moi artistique est-elle possible ? La recherche biographique est-elle susceptible de capter cette alchimie du moi ?

*   *

*

II. Les romans d'amour, les romans de science-fiction et les romans policiers sont-ils en général de la mauvaise littérature ?

Problématique

1. Pourquoi certains romans d'amour, certains romans policiers ou de science-fiction témoignent-ils de la mauvaise littérature ?
2. Peut-on trouver la qualité littéraire dans ces domaines ? Quels sont ses critères ?

Plan

1. Ces romans se caractérisent assez souvent par un niveau littéraire plutôt médiocre.

   A. Ils racontent toujours plus ou moins la même histoire, sans véritable relief et sans originalité.

   B. Le dessein de tels écrits n'est ni de dire, ni de créer puisqu'ils visent à fournir au lecteur une sorte de satisfaction éphémère souvent douteuse.

   C. En fait ces recettes de composition n'ont aucun trait commun avec la Littérature, elles visent à la consommation de masse.

2. *Cependant* les romans d'amour, les romans policiers ou de science-fiction peuvent témoigner de la vraie littérature. *En effet*, beaucoup de grands écrivains ont donné leurs lettres de noblesse à ces domaines.

   A. Certains d'entre eux ont même obtenu une célébrité méritée en écrivant uniquement dans les domaines en question.

B. La qualité littéraire des œuvres de ces romanciers vient aussi du fait qu'elles transmettent une vision du monde et des valeurs intéressantes originales sur des plans très divers.

C. Il y a donc des romans d'amour, des romans policiers ou de science-fiction qui peuvent apporter au lecteur à la fois le bonheur, le dépaysement, l'ouverture et l'enrichissement personnel.

Plan détaillé du développement

1. Il est vrai que ces romans se caractérisent assez souvent par un niveau littéraire plutôt médiocre...

A. Comment ne pas remarquer, en effet, qu'ils racontent toujours plus ou moins la même histoire, sans véritable relief et sans originalité ?

Notes à rédiger : – Amour idéal impossible entre des personnages irréels qui finit par triompher ; vol ou crime dont le coupable est mis hors d'état de nuire ; danger menaçant la planète que des hommes extraordinaires parviennent à anéantir.

Ces récits sont en général fondés sur l'identification du lecteur, qui mène la plupart du temps une vie banale, avec un héros triomphant, ainsi que sur l'omniprésence de la violence et du sexe. Ils sont en général rédigés dans un style éthéré, cru, ou pseudo-scientifique, selon les cas, qui demeure toujours artificiel.

Notes à rédiger : – Ex : le langage parlé quotidien adopté par la mauvaise littérature policière, tentative avortée du réalisme.

B. Il semble bien que le dessein de tels écrits ne soit ni de dire, ni de créer, puisqu'ils ne s'adressent nullement à la sensibilité et à la réflexion du lecteur, mais visent à fournir une sorte de satisfaction éphémère souvent douteuse.

Notes à rédiger : – Les valeurs qui s'en dégagent sont simplistes, voire inexistantes, mais surtout malsaines. Souvent le monde est accepté tel qu'il est, sans esprit critique. On assiste au culte dangereux du héros mièvre ou violent. Les criminels ou les monstres bénéficient d'une complaisance morbide...

c. En fait, ces recettes de composition n'ont aucun trait commun avec la littérature.

Notes à rédiger : – Jeu assez malhonnête avec les complexes du lecteur et son inconscient, tout en bloquant sa réflexion et en le trompant.

Dans cette optique, les romans sont uniquement des produits de consommation de masse fabriqués en série sur le même modèle.

Transition : Il ne faudrait pas croire cependant que le roman d'amour, le roman policier ou de science-fiction ne témoignent pas de la vraie Littérature.

*   *

*

2. *En effet*, beaucoup de grands écrivains, à ne pas confondre, selon un critique littéraire, avec les «écrivants» dont il était question précédemment, ont pratiqué avec succès dans ces domaines et leur ont donné leurs lettres de noblesse.

a. Certains d'entre eux ont même obtenu une célébrité méritée en écrivant uniquement dans les domaines en question.

Notes à rédiger : – Daphné de Maurier a par exemple bâti son succès sur des romans d'amour décriés à leur parution par les représentants du «bon goût littéraire». Au fil du temps, ses livres ont été appréciés du fait du brio de leur composition et de leur profondeur.

Le portrait nuancé de la première épouse de Maxime de Winter, la défunte Rebecca, dans le roman du même titre, diffuse une ambiguïté angoissante qui rend certains moments du roman insoutenables pour les personnages principaux aussi bien que pour le lecteur.

Nombre de grands écrivains se sont également intéressés au roman policier. Edgar Poe et Honoré de Balzac notamment. Mais il existe aussi de vrais maîtres et de vrais artistes du genre.

Notes à rédiger : – Georges Simenon avec la série des *Maigret* : perception aiguë de la réalité quotidienne plus ou moins banale.

– Agatha Christie : jeu de virtuose sur l'évidence apparente pour tromper le lecteur avec subtilité. Mise au point de mécanismes tellement inattendus qu'ils restent uniques dans la littérature. Ex :

Le meurtre de Roger Ackryd, roman dans lequel le narrateur avoue à la dernière page au lecteur médusé, qu'il n'est autre que le meurtrier, et il le lui démontre en quelques lignes seulement...
– Raymond Chandler, peut-être le plus brillant. Plus que des enquêtes dirigées par son anti-héros, Philip Marlowe, il nous décrit en particulier dans *Le grand sommeil*, la peur de l'avenir, l'angoisse du néant dans une société corrompue et étouffante. Il donne à son personnage une fausse naïveté, une désinvolture apparente et un humour noir qui le protègent contre le malaise général, même s'il est un «raté».

On trouve la même qualité littéraire dans les romans de science-fiction. Des auteurs comme Aldous Huxley avec *Le meilleur des mondes* ou George Owell avec *1984* sont par exemple des poètes visionnaires.

Notes à rédiger : – Accent mis sur les dangers futurs de la société moderne -perte de la personnalité, robotisation, mort de la poésie- et la nécessité de l'existence de l'esprit critique

B. La qualité littéraire de tous les romans évoqués procède bien sûr du talent de leurs auteurs, mais aussi du fait que les récits, déjà passionnants en eux-mêmes, transmettent une vision du monde et des valeurs intéressantes et originales sur des plans très divers.

Notes à rédiger : – Ces œuvres se distinguent par leur ambition de dire et de créer. Elles restent.

c. Il y ainsi des romans d'amour, des romans policiers ou de science-fiction qui peuvent apporter au lecteur à la fois le bonheur, le dépaysement, l'ouverture et l'enrichissement personnel.

Notes à rédiger : – L'immense talent de Daphné du Maurier, Raymond Chandler ou Aldous Huxley relève du domaine culturel proprement dit.

On ne doit donc rien mépriser en totalité et a priori pour ne pas tomber dans le sectarisme. Il semble d'ailleurs, en l'occurrence que seuls soient en cause l'exigence, le discernement et l'ambition du lecteur...

2. Sujets portant sur un auteur et une œuvre

I. Diderot écrivait en songeant à certains écrivains indépendants du XVIIᵉ siècle : «*Nous avons eu des contemporains sous le règne de Louis XIV*».

Demandez-vous dans quelle mesure la pensée critique et la philosophie naturaliste de la Fontaine illustrent cette affirmation.

Problématique

1. En quoi La Fontaine est-il un contemporain de Diderot est des philosophes ?

2. N'est-il pas un écrivain de son siècle, pris dans ses propres contradictions d'homme ?

Plan

1. La pensée critique et la philosophie naturaliste de La Fontaine illustrent dans une certaine mesure l'affirmation de Diderot.

   A. En matière politique, La Fontaine s'emploie à faire la critique du pouvoir féodal et de la monarchie absolue.

   B. La philosophie naturaliste de La Fontaine est surtout épicurienne. Il est matérialiste à de nombreux égards.

2. *Cependant* il n'en demeure pas moins que le fabuliste reste fort éloigné de l'esprit des lumières.

A. La Fontaine a toujours voulu s'attacher les grands du royaume et ne s'est jamais piqué d'être un philosophe.

B. De plus, à l'approche de la mort, il s'oriente vers la vie contemplative et le jansénisme...

Plan détaillé du développement

1. Il est vrai que dans une certaine mesure, la pensée critique et la philosophie naturaliste de La Fontaine illustrent l'affirmation de Diderot.

A. Tout d'abord, en matière politique, La Fontaine s'emploie à faire la critique du pouvoir féodal et de la monarchie absolue.

Notes à rédiger : – Attaque du roi, présenté le plus souvent sous les traits du lion, monarque despotique étalant sa puissance avec majesté, méprisant ses sujets abusant de sa force, convaincu d'être le seul juge, coléreux et cruel.

La Fontaine voit en lui un ennemi :

«Notre ennemi c'est notre maître» (Le vieillard et l'âne).

– Critique des «Grands» et de la cour : hypocrisie et cruauté. On ne doit pas les attaquer si l'on est misérable, faible ou pauvre (les animaux malades de la peste).

– Attaque de la tyrannie monarchique dont on doit adopter ou feindre d'adopter les idées et qu'il faut flatter :

«Amusez les rois par des songes,

Flattez-les, payez les d'agréables mensonges» (Les obsèques de la lionne).

La critique des institutions comme la justice et l'Eglise, où l'individu étouffe est aussi très présente chez La Fontaine.

Notes à rédiger : – Utilisation du personnage de Perrin Dandin (personnage de Rabelais également repris par Racine) pour présenter la justice de son temps avec ses abus et ses rites ridicules.

– Ironie à l'égard de l'Eglise :

«Je suppose qu'un moine est toujours charitable»

(Le rat qui s'est retiré du monde).

– Voltairianisme avant la lettre dans une réplique du savetier (Le savetier et le financier) :

«Le mal est que dans l'an s'entremêlent des jours
Qu'il faut chômer, on nous ruine en fêtes,
L'une fait tort à l'autre ; et Monsieur le Curé
De quelque nouveau saint charge toujours son
prône».

On pense à l'apparition de Saint-Cucufin de Voltaire et au Sieur Aveline, le petit bourgeois dont il nous dépeint les réactions.

Autre rapprochement avec Voltaire : réhabilitation des métiers manuels et éloge du travail :

«Adieu : je perds le temps, laissez-moi travailler»
(La mouche et la fourmi)

«… Mais le père fut sage
De leur montrer, avant sa mort
Que le travail est un Trésor»
(Le laboureur et ses enfants)

«Travaillons : c'est de quoi nous me mener jusqu'à Rome»
(Le marchand, le gentilhomme, le pâtre et le fils de roi).

B. La philosophie naturaliste de La Fontaine, quant à elle, est surtout épicurienne. Il est matérialiste à de nombreux égards.

Notes à rédiger : – Rapprochement avec Diderot : «J'aime à me crever de mangeaille» ; jouissance du présent dans les plaisirs de la vie.

«Il avait raison. C'est folie
De compter sur dix ans de vie
Soyons bien buvants, bien mangeants
Nous devons à la mort de Trois l'un en dix ans»
(Le Charlatan).

– La Fontaine, ignorant les terreurs et les repentirs du chrétien, envisage la mort sereinement :

«La mort avait raison. Je voudrais qu'à cet âge
On sortit de la vie ainsi que d'un banquet»
(La mort et le mourant)

C'est un emprunt à un autre épicurien, Lucrèce.

Autre exemple dans le «loup et le chasseur» :

«… il faut que l'on jouisse».

– Dans «le songe d'un habitant du mogol», il préconise une vie exempte de soucis et une fin sereine ignorant le remords. Ce sont des conversations païennes.

– Eloge de la nature humaine avec ses instincts et ses sentiments. Opposition à l'austérité janséniste :

«Contre de telles gens, quant à moi, je réclame
Ils ôtent à nos cœurs le principal ressort
Ils font cesser de vivre avant que l'on soit mort»
(Le philosophe scyte).

Transition : Il semble donc que La Fontaine soit un véritable précurseur.

* *

*

2. *Cependant*, bien que le fabuliste blâme, comme les philosophes du XVIIIᵉ siècle, certaines imperfections du système social de son époque et professe une attitude matérialiste devant l'existence, ainsi que Diderot lui-même, il n'en demeure pas moins qu'il reste fort éloigné de l'esprit des lumières.

A. La Fontaine a toujours voulu s'attacher les grands du royaume.

Notes à rédiger : – Conscient de sa faiblesse, de la précarité de sa situation, il flatte ses protecteurs (Fouquet, Duchesse d'Orléans, Duchesse de Bouillon, Madame de la Sablière…) et ne les attaque pas sur le fond : leurs valeurs, leur pouvoir…
Il se révèle aussi très indulgent à l'égard des financiers.

En outre, La Fontaine ne s'est jamais piqué d'être un philosophe. Du reste il est loin d'être constant intellectuellement.

Notes à rédiger : – Instabilité et ambiguïté de ses réflexions, ex : quand il prend le contre-pied de la philosophie épicurienne et des libertins en faisant l'éloge de la providence.

«Concluons que la Providence
Sait ce qu'il faut mieux que nous»
(Jupiter et le métayer) ;

B. De plus, à l'approche de la mort, à laquelle il échappe de peu
en 1633, ses idées sur la religion changent. Il devient partisan
de la vie contemplative et même janséniste, prêchant la
solitude pieuse

Notes à rédiger : – «Apprendre à se connaître est le premier des
soins

Qu'impose à tous mortels la Majesté suprême».

«Pour vous mieux contempler demeurez au désert»

(Le juge arbitre, l'hospitalier et le solitaire).

Les solitaires de Port-Royal appelaient «désert»
la solitude dans laquelle ils vivaient.

– Ce revirement marque une contradiction flagrante avec les idées de sociabilité de «l'ours et
l'amateur des jardins».

La Fontaine a-t-il vraiment été attiré et convaincu par l'austérité
janséniste à la fin de sa vie ?

Notes à rédiger : – Il reste plutôt, étant donné les écarts de ses
positions, ambigu et difficile à cerner.

– Peut-être est-il finalement un sceptique.

– La Fontaine est un poète avant tout.

Platon affirme : «le poète est chose légère».

C'est sans doute cet état qui explique le comportement du fabuliste :

«Le sage dit selon les gens

Vive le roi, vive la Ligue !»

(La chauve-souris et les deux belettes).

– Vie et œuvre de La Fontaine prouvent qu'il est
surtout un artiste plein de fantaisie. Il a suivi son
plaisir et sa nature. Ce sont eux qui parfois lui ont
fait faire figure de précurseur ainsi que sa morale
d'expérience et de modération

*   *

*

II. Tentez d'apprécier «l'efficacité» théâtrale des trois pièces de Molière suivantes, *Les Fourberies de Scapin, Les Femmes savantes, Le Malade imaginaire.*

Problématique

1. A quoi l'efficacité scénique du théâtre de Molière tient-elle ?
2. Comment et pourquoi le projet scénique et le projet moral sont-ils liés dans les trois œuvres ?
3. Au fond, l'efficacité théâtrale de Molière ne dépend-elle pas surtout du projet comique c'est-à-dire du pur plaisir du jeu et de l'appel à la joie de vivre ?

Plan

1. L'efficacité scénique du théâtre de Molière tient à plusieurs raisons.

   A. Molière était le chef d'une troupe théâtrale qu'il devait faire vivre.

   B. L'efficacité théâtrale consiste en un passage d'idées de la scène à la salle.

   C. La fonction essentielle du théâtre de Molière est de plaire.

   D. Mais n'y-a-t-il pas une certaine incompatibilité entre les faits de corriger et de faire rire l'un étant lié à la vraisemblance, l'autre à l'invraisemblance ? De plus ne risque-t-il pas de se produire une désunion entre l'auteur et le public ?

2. Molière dépasse ces contraintes en liant un projet moral à son projet scénique. *De fait* c'est le projet moral qui met en scène dans les trois pièces des familles bourgeoises cossues.

   A. Le chef de famille est obnubilé par une idée fixe et porte le masque comique de son illusion.

   B. Ce masque crée une disponibilité dramatique utilisée par d'autres personnages : les hypocrites, qui seront révélés par la farce.

   C. Ainsi, grâce à l'efficacité dramatique souvent génératrice d'un choc comique, le projet moral trouve lui aussi une pleine efficacité.

3. *Cependant*, il se caractérise par un échec. *En effet*, malgré l'aide que certains personnages apportent aux victimes de l'illusion, celle-ci demeure. C'est le moment où le projet purement comique du dramaturge d'épanouit.

   A. Les personnages éprouvant de la sympathie pour les victimes utilisent plusieurs moyens pour les aider.

   B. Leur échec montre que le théâtre de Molière est avant tout un plaisir sur scène, un jeu aux deux sens du terme.

   C. Cette efficacité du plaisir sur scène est liée à la fantaisie et au rythme qu'elle impose aux pièces.

Plan détaillé du développement

1. L'efficacité scénique du théâtre de Molière tient à plusieurs raisons.

   A. Le dramaturge était également un chef de troupe théâtrale. Sa principale occupation : obtenir les applaudissements du public pour faire vivre sa troupe.

   Notes à rédiger : – Circonstances de la composition des *Fourberies de Scapin* : dans l'attente des aménagements scéniques nécessaires pour représenter *Psyché*, Molière occupe la salle du Palais-Royal en écrivant une œuvre facile et gaie pour le public citadin. Retour à la farce et à la commedia dell'arte.

B. Ainsi, à tous points de vue, l'efficacité théâtrale consiste en un passage réussi de la scène à la salle. A l'aide de ce mouvement, l'auteur dramatique peut transmettre au public un ensemble d'idées qui lui tiennent à cœur.

Notes à rédiger : – Molière fustige essentiellement ce qui s'écarte du juste milieu et perturbe par là même la tranquillité du noyau familial.

L'égoïsme d'Argan est presque la cause du malheur de sa fille et rend impossible la vie de la maisonnée. La pédanterie de Philaminte lui fait oublier ses devoirs de femme les plus élémentaires. Personnages ridicules et déconsidérés aux yeux du public.

Double visée de Molière : insister d'une façon didactique sur les conséquences morales de ces travers ; faire rire les spectateurs.

Molière, il l'affirme lui-même, peint d'après nature. Ainsi dans *Les femmes savantes*, Vadius et Trissotin représentent-ils assurément dans un premier temps Ménage et Cotin. Mais ce premier niveau est peut-être le moins important. C'est parce que Molière les transforme en types qu'ils sont efficaces. Ces deux poètes savants personnifient tout ce qu'il y a d'odieux dans les prétentions des pédants.

Notes à rédiger : – Donc théâtre-miroir de la reconnaissance, reflet du XVIIᵉ siècle et du spectateur même.

Cette importance du regard explique que certains spectateurs se scandalisent : ils se reconnaissent trop. En effet, le théâtre est donné comme l'imbrication de deux réalités : celle de la scène et celle de la salle.

Notes à rédiger : – Renvoi constant du microcosme au macrocosme et vice-versa, par l'intermédiaire de personnages représentant sur scène les valeurs du public : Clitandre et Béralde, l'honnête homme, Toinette, le bon sens.

Ainsi la parole est à l'origine d'une communication double : le premier destinataire est un des personnages de la fiction théâtrale, le second n'est autre que le public.

Notes à rédiger : – Double efficacité de la parole dramatique : simulée et réelle. Ex : dans *Le Malade imaginaire*, Toinette parlant à Cléante et s'adressant à Argan par «ricochet», feint de prendre son parti. Argan est berné, le public comprend le double sens des propos, qui signifient le contraire de ce qu'ils énoncent.

Toinette : «Il marche, dort, mange et boit tout comment les autres ; mais cela n'empêche qu'il ne soit fort malade».

Argan : «Cela est vrai».

C. Outre ce rôle d'école de vertu, la fonction essentielle du théâtre de Molière est de plaire ; dans *La Critique de l'Ecole des Femmes*, Dorante réplique à Lysidas : «Je voudrais bien savoir si la grande règle de toutes les règles n'est pas de plaire».

Notes à rédiger : – Molière doit se conformer aux goûts d'un public hétérogène : deux classes distinctes, la cour et les gentilhommes au goût raffiné occupant les galeries, les bourgeois et les laquais au parterre représentant le bon sens. C'est la seconde catégorie, du fait de son nombre, qui détermine le succès ou l'échec d'une pièce.

– Une catégorie laisse Molière indifférent : les pédants. Une partie de l'efficacité des *Femmes savantes* vient du fait qu'il s'est efforcé de réconcilier le public raffiné et le parterre aux dépens des pédants.

D. Mais n'y a-t-il pas une certaine incompatibilité entre les faits de corriger et de faire rire ? D'abord, si pour corriger les hommes Molière est obligé de se soumettre à la règle de vraisemblance et à l'exigence de ressemblance entre le microcosme scénique et le macrocosme social, cependant pour faire rire, il doit nécessairement introduire un grossissement, une exagération allant à l'invraisemblance.

Notes à rédiger : – Argan : «Monsieur Purgon m'a dit de me promener le matin dans ma chambre, douze allées et douze venues ; mais j'ai oublié de lui demander si c'est en long ou en large».

– Scène du sac dans les *Fourberies de Scapin*.

– Martine chassée avec bruit… pour une misérable faute de grammaire.

Il y a un second hiatus : si la comédie dans sa visée correctrice appelle une complicité du public avec l'auteur et certains personnages autour de valeurs admises, le ridicule qui s'y déploie entraîne malgré tout un rapport d'extériorité de la salle par rapport à la scène.

> **Notes à rédiger :** – On se désolidarise d'Argan, même si on apprécie sa tendresse paternelle, ainsi que de Philaminte qui noie son intelligence dans la sottise de Trissotin.

Comme l'a montré G. Poulet, entrer dans le ridicule des hommes correspond au contraire d'entrer dans l'être : c'est s'écarter de lui. Ainsi se crée la conscience d'une désunion qui range d'un côté l'auteur et son public, de l'autre le personnage regardé par le public.

> **Transition :** Molière surmonte cette double contrainte en liant son projet scénique à son projet moral, les deux entités se faisant ainsi valoir l'une de l'autre. En effet, la construction dramatique devient en quelque sorte le corollaire démonstratif du projet moral. Le choc des deux entités constituant la satire.

*　　*

*

2. *De fait*, le projet moral met en scène dans les trois pièces des familles bourgeoises cossues.

A. Le chef de famille (Argan, Philaminte - à cause de la faiblesse de Chrysale - Argante et Géronte) est obnubilé par une idée fixe.

> **Notes à rédiger :** – Argante et Géronte veulent être les maîtres toutpuissants de leurs enfants.
> – Philaminte ne jure que par la philosophie et le savoir en général.
> – Argan est obsédé par l'amour irraisonné qu'il porte à son corps.
> – Les «fixations» respectives d'Argan et Philaminte introduisent chez eux des parasites (médecins, savants, pédants) qui veulent les dominer et accaparer leur fortune. Situation d'Argan plus dangereuse encore à cause de son épouse Béline.

Ainsi, l'illusion de ces personnages aveugles a pour conséquence l'autoritarisme dans le sein de leur famille. Ils deviennent des tyrans familiaux dont les agissements perturbent un équilibre antérieur.

Notes à rédiger : – Point capital du conflit : le mariage de leurs enfants, intrigue des trois pièces.

Argan : »Une fille de bon naturel doit être ravie d'épouser ce qui est utile à la santé de son père».

Il veut un gendre médecin.

Philaminte : «Et la pensée enfin où mes vœux ont souscrit.

C'est d'attacher à vous un homme plein d'esprit».

Elle veut un gendre savant.

Argante et Géronte veulent imposer leur choix à leurs enfants, alors que celui-ci est déjà fait.

Le thème du mariage apparaît efficace dans la mesure où il fonctionne à la fois comme un élément essentiel de la mécanique dramatique et comme un concept chargé d'implications morales et idéologiques. Il s'identifie au dénouement heureux et moral de l'action dramatique dans les trois pièces et définit un ordre esthétique : celui de l'aboutissement du processus dramatique. Ainsi le mariage devient métaphore de l'accomplissement d'un plaisir théâtral fondé sur le comblement des vides, des attentes.

Notes à rédiger : – Mariage naturel aux jeunes. Il postule la beauté (Trissotin et Thomas Diafoirus rejetés avant tout parce qu'ils sont laids et grotesques).
– Mariage d'inclination et non de convention.

L'égoïsme autoritaire des parents respectifs, sur lequel Molière se plaît à insister tout au long des trois pièces, amène le spectateur à suivre ses préceptes.

Notes à rédiger : – Même s'il possède les caractères dénoncés, le spectateur prend parti pour ceux qui ne sont ni ridiculisés, ni déconsidérés.
– Personnages négatifs rejetés dès leur entrée en scène : Armande découverte dans l'inadéquation et l'exagération du langage ; Argan absorbé par ses comptes d'apothicaire, ce qui montre immédiatement qu'il n'est occupé qu'à sa maladie (double effet de grossissement et de dévaluation

aboutissant à une caricature active de la parcimonie maniaque du personnage).

– Des tableaux anticipés peuvent aussi contribuer à les discréditer avant même leur arrivée : Trissotin décrit successivement par Clitandre, Chrysale et Ariste devient un personnage intellectuellement vide et moralement méprisable pour le public en même temps que le danger, car il est le point de convergence des trois intrigues de la pièce (amoureuse, matrimoniale, familiale).

Par là même, Molière dénonce l'illusion qu'entretiennent ces personnages considérés comme sacrés par les victimes de l'illusion. C'est à la sottise, qui se présente sous deux formes étroitement liées : la crédulité et la manie d'avoir raison, que le dramaturge s'attaque.

Notes à rédiger : – Argan, Philaminte ont le pire des défauts : la démission de l'esprit qui accepte de ne plus rien juger en son nom propre et devient dogmatique. L'intransigeance domine. Philaminte : «Je veux…» maintes fois répété tout au long de la pièce.

Cette illusion obsessive se traduit cependant aux yeux des spectateurs, dans la mesure où elle est sans cesse confrontée à la contradiction dans la personnalité et le comportement même du personnage qui en est l'objet.

Notes à rédiger : – Argan le malade est en fait un bon vivant, prompt à s'emporter et à battre Toinette en la poursuivant, ce qui atteste sa bonne santé.

– Chez Philaminte et Armande, la colère contredit les principes de sagesse.

L'outrance est également consubstantielle à l'illusion obsessive.

Notes à rédiger : – Extase de Philaminte devant le «quoi qu'on die» du sonnet de Trissotin, alors qu'il s'agit d'une cheville complètement vide.

Le comique qui se dégage de cette outrance fait que la victime de l'illusion est par excellence un personnage solitaire. Ses paroles et ses actions ont simultanément un sens pour lui-même et un sens pour le spectateur ; et ces deux sens sont incompatibles. Il refuse de s'adapter à la vie, d'accepter le langage du sens commun et est entièrement occupé, comme charmé, par la satisfaction de ses désirs à l'exclusion de tout le reste. Ainsi le personnage qui vit dans l'idée fixe porte le masque comique de son illusion.

B. Ce masque crée une disponibilité dramatique utilisée par d'autres personnages : les hypocrites. Il en existe de plusieurs types.

Notes à rédiger : – Ceux qui sont uniquement hypocrites, apparaissent maîtres de leur masque et se donnent pour ce qu'ils ne sont pas. Ils dominent le personnage qui est dans l'illusion mais restent des hypocrites pour la salle et ses représentants sur scène. L'être est la cupidité, le paraître, la tendresse. Ex de Béline : «Ne me parlez point de bien. Ah ! de combien sont les deux billets ?» -. Elle est impuissante à se dominer, ce que le spectateur perçoit immédiatement et qui le confirme dans son opinion défavorable.

– Ceux qui, s'ils n'ont pas entièrement conscience d'être hypocrites à l'égard de ce qu'ils prétendent être, ne le sont pas moins dans une certaine mesure. Trissotin pense vraiment être un bel esprit, Diafoirus pense vraiment être un grand médecin. Mais ils pensent aussi à s'accaparer la fortune des pères en épousant les filles.

L'action dramatique conduit à démasquer ces êtres par l'intermédiaire d'un traitement du langage et l'introduction de la force.

Notes à rédiger : – Dans la scène 1 du *Malade imaginaire*, efficacité comique de la dénonciation des institutions médicales par la simple reproduction de leur langage codé (archaïsmes, terrorisme du vocabulaire technique, emphase pléonastique, juxtaposition de termes équivalents, contradiction entre l'inflation rhétorique et la monotonie, la simplicité des soins administrés - lavements et purgatifs -, contraste entre le terrorisme rhétorique et l'obséquiosité de la désignation du patient : «Monsieur»). Le seul message réel de tout ce discours est le coût, qui marque une chute brutale. Les médecins vendent plus de mots que de véritables remèdes.

– Même fonction terroriste du langage grammatical dans *Les Femmes savantes* (II, 6).

– Force satirique de ce langage de la terreur culturelle accrue par le fait que celui qui le tient n'est pas celui qui en profite, mais celui qui en est la victime.

Mais Molière s'emploie à démasquer ces personnages méprisables également au moyen de la farce.

Notes à rédiger : – Noms révélateurs de l'être. Fleurant, Purgon, Diafoirus personnifient leurs fonctions inutiles. Trissotin est un triple sot, etc.

– Ballets verbaux révélateurs de l'illusion, de l'imposture et du ridicule. Les assauts de compliments et d'insultes entre Vadius et Trissotin témoignent du même procédé et de la même structure. Ce ballet verbal, dont le centre est en quelque sorte l'équivalence, révèle donc que les compliments n'avaient aucune valeur...

c. Ainsi grâce à l'efficacité dramatique souvent génératrice d'un choc comique, le projet moral trouve lui aussi une pleine efficacité.

Notes à rédiger : – Le spectateur comprend que Molière s'en prend aux femmes savantes car elles veulent prendre une revanche démesurée et stérile sur l'homme, que la médecine est attaquée en tant qu'institution pédante et vaine science, le médecin représentant le contraire de l'honnête homme.

Les Femmes savantes et *Le Malade imaginaire* définissent deux antithèses exactes du concept d'honnêteté, avec dans la première pièce citée la référence de Clitandre à la cour :

« [...] elle a du sens commun pour se connaître à tout,
[...] chez elle on se peut former quelque bon goût ;»

Quant à la Faculté de médecine, elle exerce une tutelle insupportable sur le roi, les princes, et la cour, auxquels elle montre tous les jours son absence de compétence par l'intermédiaire de praticiens comme Diafoirus, qui affirme : « [...] ce qu'il y a de fâcheux avec les grands, c'est que, quand ils viennent à être malades, ils veulent absolument que leurs médecins les guérissent.»

> **Transition :** Le rire est la participation du spectateur à l'évacuation de cette malhonnêteté. Ainsi il n'est pas incompatible avec l'exigence morale ; il constitue au contraire la manifestation complémentaire et même consubstantielle d'une éthique subordonnée à l'idéologie monarchique du XVIIe siècle. Il est cependant à remarquer que l'effort des représentants d'une morale qui se veut efficace, pour ramener le personnage qui vit dans l'illusion à la réalité, échoue...

*   *

*

3. *En effet*, face aux imposteurs et à leurs victimes, dont la parole extravagante est source de désordre, certains personnages doivent pour ramener la victime de l'illusion à la réalité, agir sur elle. C'est le moment où le comique moliéresque double d'intensité, et où le projet comique du dramaturge s'épanouit.

A. Les raisonneurs peuvent agir en essayant de convaincre la dupe ou en essayant de faire renoncer l'imposteur à son action.

Notes à rédiger : – Cette action échoue généralement (Béralde avec Argan, Henriette avec Trissotin).
– La parole raisonnable, la «vertu traitable» sont donc impuissantes à résoudre les difficultés.

Le deuxième moyen d'action consiste à prendre à son compte la parole hypocrite et à opérer une métamorphose, un complet renversement entre l'être et le paraître. Cette métamorphose s'offre comme une fonction dramatiquement efficace puisqu'elle est souvent génératrice de comique et présente toujours au spectateur des effets scéniques plaisants et un jeu théâtral agréable.

Notes à rédiger : – Toinette déguisée en médecin. Elle parvient à faire accepter son travestissement à Argan, mais pas à lui ouvrir les yeux.

Le seul moyen d'action va résider dans une lutte de la parole métamorphosée contre la parole masquée.

Notes à rédiger : – Stratagème d'Ariste à la fin des *Femmes savantes* qui permet de décevoir Philaminte et de marier Henriette à Clitandre.

– Stratagème de Toinette qui, jouant le jeu de Bélise, demande à Argan de faire le mort.

Pourtant, quoi qu'il en soit, l'illusion demeure.

Notes à rédiger : – Même déçue, Philaminte ne dit pas qu'elle renonce à ses prétentions.

– Argan reste toujours dans son imaginaire. Le dénouement de la pièce lui permet d'être à la fois médecin et malade, victime et charlatan ; personne ne peut rien contre lui ; ce retournement le rend insaisissable. Mais surtout, Argan entre dans la folie.

Ce dernier exemple reflète la notion «d'illusion comique» qui sous-tend la dramaturgie de Molière.

B. En effet, il semble possible de considérer le théâtre de Molière comme le plaisir sur scène, le plaisir communicatif des personnages qui jouent aux deux sens du terme. Il y aurait ainsi dans le jeu théâtral, un jeu pour le jeu qui le rendrait d'autant plus efficace.

Notes à rédiger : – Si la scène du «poumon» où Toinette est déguisée en médecin se révèle inefficace sur le plan de l'évolution de l'illusion, elle est cependant hautement efficace dans sa richesse scénique. Toinette s'amuse pour son propre plaisir et celui du spectateur. Elle s'amuse d'Argan comme d'une marionnette (emphase hyperbolique, jeu de questions, d'énumérations ; choc phonique des mots, scandés : «ignorant», «poumon» ; répétition de «bon», «gros», dénonçant l'obsession du corps chez Argan et réduisant le malade à un organe ; double progression vers le burlesque -elle veut émonder Argan comme un arbre !- et inversement vers l'effroi calculé du malade).

Ce jeu pour le jeu n'est-il pas en fait l'objet intégral des *Fourberies de Scapin* ?

Notes à rédiger : – Dans *Les Fourberies*, on s'intéresse surtout au mouvement dramatique de l'intrigue, pas vrai-

ment au fond. D'ailleurs l'intrigue n'est ni continue, ni unifiée. Succession de séries de scènes et
de solos de virtuosité, de gags successifs dont la
vedette est presque toujours Scapin. Action
entièrement sacrifiée au jeu théâtral, au théâtre
dans le théâtre. Scapin joue sans cesse un rôle
grâce à ses talents de comédien, son génie de
l'invention (la scène de la galère est à l'origine de
tout un univers), un don d'affabulation orale et
d'improvisation argumentée. Scapin se met lui-
même en scène (fameuse scène du sac où il joue
plusieurs personnages à la fois), mais met aussi
les autres en scène (il transforme Sylvestre en
spadassin).

– Pièce organisée autour de quatre tromperies. Les
deux premières permettent de conquérir aux
dépens d'Argante et de Géronte l'argent utile aux
jeunes gens ; les deux dernières n'ont pas de rôle
dans l'intrigue : la bastonnade de Géronte ne lui
apporte rien ; et même si la mort feinte de Scapin
lui sert à sauver sa vie, elle ne se justifie que par
les consignes d'interruption et de répétition, manifestations du plaisir personnel de Scapin offer-
tes au spectateur. Plaisir contagieux : fou-rire de
Zerbinette et du spectateur.

– Projet moral peut même, dans une certaine mesure, sembler complètement absent des *Fourberies*. Le trompeur se situe au-delà du bien et du
mal, dans le plaisir et le jeu.

– Ses tromperies ne sont aucunement immorales,
mais purement amorales.

c. Cette efficacité du plaisir sur scène du personnage et du spectateur s'irradie au moyen de la fantaisie autour de laquelle
Molière a cherché à rythmer ses pièces.

Notes à rédiger : – La farce pure est l'un des moteurs principaux de
l'efficacité dramatique de son théâtre (coups de
bâton de Scapin à Géronte, bataille d'oreillers
entre Argan et Toinette, mimique de Thomas,
allusions au bas corporel dans *Le Malade imaginaire*, poursuite, travestissements, mascarade
finale du *Malade imaginaire*).

– Personnages au rythme mécanique, marionnettes (Molière a joué Argan et a sans doute écrit Scapin spécialement pour lui) dont le dramaturge-acteur tire les ficelles pour son propre plaisir, retrouvant ainsi pour le spectateur la fonction la plus pure du rire. Pas de souci de la vraisemblance, stylisation comique du réel (ex : quiproquos où deux imaginaires se confrontent. A propos du prétendant de sa fille, Argan ne pense qu'à lui, Angélique uniquement à son amour. C'est d'abord l'euphorie, puis Argan fait l'éloge de son futur gendre et bénéficie de l'approbation de sa fille, mais dès qu'il entre dans les détails, le quiproquo se dénonce).

– Illustration parfaite de la volonté de Molière de créer le plaisir et l'entrain : scène 5,I du *Malade imaginaire* en partie reprise dans la scène 4,I des *Fourberies de Scapin*.

Ainsi la farce pure, les quiproquos et l'entrain généralisé confèrent aux pièces un rythme endiablé propre à maintenir le plaisir du spectateur et à conjurer tout ennui. L'illustration la plus parfaite de ce spectacle de plaisir total recherché par Molière est la comédie-ballet.

Notes à rédiger : – Molière recherche une heureuse harmonie entre la comédie et le ballet (Préface des *Fâcheux* 1661).

– L'intégration du ballet à la comédie correspond de toute évidence aux exigences du spectacle de cour.

– Dans *Le Malade imaginaire*, la relative contamination des formes pour le plaisir total du spectateur a, semble-t-il, plus d'importance que le souci de cohérence sémantique. La jonction sémantique ne se fait vraiment qu'entraînée par la contamination formelle dans la mascarade finale.

*   *

*

III. Dans sa Préface Testamentaire aux *Mémoires d'Outre-Tombe*, Chateaubriand écrit : «*Si j'étais destiné à vivre, je représenterais dans ma personne, représentée dans mes Mémoires, les principes, les idées, les événements, les catastrophes, l'épopée de mon temps, d'autant plus que j'ai vu finir et commencer un monde, et que les caractères opposés de cette fin et de ce commencement se trouvent mêlés dans mes opinions*». La première partie des *Mémoires d'Outre-Tombe* illustre-t-elle ce projet ?

Problématique

1. N'y a-t-il pas une contradiction sur le plan de la vie personnelle de Chateaubriand, dans la mesure où il semble refuser et fuir à la fois l'Histoire ?

2. Son moi ne devient-il pas symbolique et par là même épique dans une reconstruction uniquement due à l'écriture ?

3. Ce désir de se constituer un héros épique n'est-il pas dépassé par un projet parallèle de l'écriture des *Mémoires d'Outre-Tombe* ?

Plan

1. Le paradoxe : Chateaubriand semble, sur le plan de sa vie personnelle, refuser et fuir à la fois l'Histoire

   A. Il se définit par une impossibilité d'insertion sociale et n'apparaît pas représentatif d'un groupe.

B. La révolution ne réalise pas le désir d'épopée de Chateaubriand car elle déçoit profondément ses idéaux humanitaires.

C. Il part en Amérique pour trouver une épopée mythique extérieure à l'Histoire. Elle échouera également.

2. *Dans ces conditions*, Chateaubriand sera le héros épique de ses productions imaginaires. *En effet*, le moi devient symbolique et épique dans une reconstruction uniquement due à l'écriture.

A. Il s'insurge contre les mémoires de son temps qui ne racontent pas des pensées ou des sentiments dans une Histoire-destin.

B. Le moi de Chateaubriand se considère comme un représentant privilégié de l'Histoire de son temps car elle est marquée par la rupture.

C. Mais par-delà la rupture révolutionnaire qui l'obsède, Chateaubriand rend compte de l'évolution historique comme d'une décadence.

3. *En fait*, le mémorialiste apparaît comme le spectateur d'une Histoire dont il décrypte les signes, des signes qui contribuent par ailleurs à unifier son moi. Il semble *donc*, en fin de compte, que le désir de se constituer en héros épique soit dépassé, par un projet parallèle de l'écriture des Mémoires d'Outre-Tombe.

A. L'écrivain cherche à lire les signes de son destin, représentant du destin collectif.

B. Mais le moi est également désireux de se renvoyer une image cohérente et en même temps de la présenter à la postérité.

C. Le domaine où le moi s'efforce visiblement de procéder à sa propre unification est celui du temps.

Plan détaillé du développement

1. D'emblée, apparaît un paradoxe : Chateaubriand ne semble-t-il pas sur le plan de sa vie personnelle refuser et fuir à la fois l'Histoire ?

A. Dès l'abord, en effet, il se définit par une impossibilité d'insertion sociale. Il n'apparaît pas représentatif d'un groupe. Si le héros épique qu'il veut être implicitement revêt cette fonction, comment le mémorialiste peut-il l'assumer ?

Notes à rédiger : – Certes, fier de sa qualité de gentilhomme, il se considère comme inscrit dans la Tradition nobiliaire : «Je suis né gentilhomme».

– Mais décalage éclatant : «Je préfère mon nom à mon titre». C'est un décalage pratique qui souligne un problème d'intégration du «moi».

Ex : énoncé de sa généalogie où l'on peut noter une certaine distance parodique qui fait penser à celle des généalogies des géants rabelaisiens qui parodient l'épopée homérique. Ecart ironique dans la reprise du langage archaïque : «cesdits Chateaubriand», dans les atténuations hypothétiques : «il faudrait croire»…, dans l'emploi d'une hyperbole qui renvoie en fait à sa pauvreté.

– De plus Chateaubriand est un cadet dans une famille en Bretagne. Même si son père a créé une nouvelle richesse dans le commerce colonial pour sa famille, il appartient à un monde qui continue de cultiver les vraies valeurs nobiliaires : dignité, respect, tenue, et dont l'image moribonde est la société de sa grand-mère à Plancouët. Il n'admet pas la mutation profonde des valeurs de sa classe, où l'argent remplace la qualité : «L'aristocratie a trois âges successifs : l'âge des supériorités, l'âge des privilèges, l'âge des vanités : sortie du premier, elle dégénère dans le second et s'éteint dans le dernier».

– Cette thématique de l'écart est très marquée à Combourg, dans le sein même de la famille de l'écrivain : le père en disperse les membres «à toutes les aires du vent de l'édifice», mais surtout, le jeune chevalier est «relégué dans l'endroit le plus désert». L'enfant ne bénéficie d'aucune véritable tendresse de la part de ses parents. Il se retourne vers Lucile sa sœur, «cadette délaissée» qui partage son sort.

Un seul recours subsiste : l'évasion dans l'imaginaire «Je m'applaudissais d'avoir placé les fables de ma félicité hors du cercle des réalités humaines».

Notes à rédiger : – Evasion coïncidant également avec le sentiment
de vacuité qui caractérise l'adolescence de Chateaubriand. Il s'ensuit une «héroïsation» du moi
qui s'approprie la nature et le monde et se créé une
«enchanteresse» : le sylphide. «Les mondes
étaient livrés à la puissance de mes amours».
Mais cette délectation solitaire, qui s'éloigne de
l'épopée, devient bientôt désenchantement et désespoir suicidaire : «l'idée de n'être plus me saisis-
sait». Même solitude à Paris qu'à Combourg. Il
est un débutant «gauche et embarrassé» qui prend
pour la cour «un dégoût invincible». A partir de
cette déception, nouveau recours à l'imaginaire
pour essayer de se retrouver dans une vraie figure
symbolique de la noblesse : Bassompierre, type
du grand seigneur féodal, vivant à une époque où
l'épopée est encore possible.

Dans la société du XVIIIe siècle finissant, autant pour des
raisons sociales que morales, le moi trouve toujours une barrière
à la réalisation de son désir de devenir centre.

Notes à rédiger : – Ainsi, la cause du refus social de Chateaubriand
apparaît plus complexe : il refuse aussi ce qu'il ne
peut obtenir parce qu'il ne peut l'obtenir du fait de
sa timidité et de la non-reconnaissance des autres : «Je sentis confusément que j'étais supérieur
à ce que j'avais aperçu».
«Personne ne devina à mon début ce que je
pouvais valoir». Le refus devient le lien d'une
sublimation opérée par le moi qui lui prête le
prétexte de la supériorité.

Mais la cause principale de cette négation de la société réside
surtout dans le fait qu'elle ne constitue plus un cadre propice au
surgissement d'un moi épique, qui n'aurait à représenter qu'une
fade mondanité et une dégénérescence généralisée des valeurs
nobiliaires.

B. Le refus de la société de l'ancien régime telle qu'elle est
devenue, donne à Chateaubriand, à l'approche de la Révolution : «des inclinations républicaines». Il a le sentiment que
ce mouvement national peut réaliser son désir d'épopée et du
même coup son intégration. Mais si le cadre apparaît ici

favorable, puisqu'il s'agit de la promotion d'un idéal humani-
taire, c'est le résultat qui va décevoir profondément le moi en
quête d'épopée. La Révolution va devenir l'illustration d'une
anti-épopée ou la noblesse initiale des intentions se transforme en bassesse et en crime : «La Révolution m'aurait
entraîné, si elle n'eût débuté par des crimes».

Notes à rédiger : – Horreur insoutenable des crimes, «boucherie»
touchant en particulier la classe à laquelle appartient le jeune homme.

– Désireux d'être l'acteur d'une épopée, Chateaubriand devient la victime d'une anti-épopée. Ex :
Prise de la Bastille. La forteresse qui ne fonctionne plus, renvoie à un régime déserté par
l'Histoire. Le peuple est le «héros» discrédité
ironiquement de l'événement. La Révolution
devient mascarade, défilé orgiaque où «sans cu-
lotte» et prostituées se mêlent.

L'épisode révolutionnaire dans son ensemble apparaît comme
un renversement des valeurs qui se traduit socialement par une
perte totale d'unité.

Notes à rédiger : – Mélange entre l'aristocratie et la bourgeoisie. Impossibilité pour Chateaubriand de s'y inscrire, d'y
souscrire. Il demeure à l'écart ; observateur solitaire, il ne participe à rien. Distance et indifférence : «Je me retirai».

c. Cependant, l'accumulation dangereuse des crimes fait passer
Chateaubriand du retrait au départ. Il décide de partir en
Amérique, là où, pense-t-il, il peut trouver une épopée
extérieure à l'Histoire, une épopée mythique où n'entre pas le
déclin de l'ancien monde.

Notes à rédiger : – La traversée de la mer, symbole maternel, va permettre une nouvelle naissance après la rupture.
«Le vent se leva… et quand je montai sur le tillac
le lendemain matin, on ne voyait plus la terre de
France».

La mer devient le lieu de l'anti-société : plus de
troubles et d'accidents.

La conséquence de cette renaissance dont les flots sont l'origine
est un retour à l'innocence, à l'état de nature même à travers
l'aventure.

Notes à rédiger : – Nature : lieu bienfaisant et intime du clair-obscur refuge accueillant :

«La lune se montrait à la cime des arbres ; une brise embaumée, que cette reine des nuits amenait de l'Orient avec elle, semblait la précéder dans les forêts comme sa fraîche haleine».

Les paysages inconnus de l'Amérique le libèrent du chaos de l'Histoire : «Ici plus de chemins, plus de villes, plus de monarchie, plus de république, plus de présidents, plus de rois, plus d'hommes». Sentiment de relativité bénéfique que procure l'oubli.

– La Révolution en tant que bouleversement ne pèse plus sur la conscience : «L'individualité sert à mesurer la petitesse des plus grands événements».

– Insertion sociale avec les sauvages américains (épisode des deux Floridiennes qui se déroule dans une île, lieu de bonheur chez Chateaubriand parce que clos et intime.

Cependant l'épopée mythique s'abîme dans un échec aussi irrémédiable que les précédents. Au cœur de l'Amérique, l'Histoire est présente et tout le parcours américain est construit selon une alternance entre une envolée dans le mythe et un retour brutal à la réalité.

Notes à rédiger : – Dès l'arrivée en Amérique : «ce fut une esclave qui m'accueillit sur la terre de la liberté».

– Après un moment «d'ivresse et d'indépendance» dans une forêt, c'est la découverte grotesque de M. Violet, maître de musique des sauvages, «chose accablante pour un disciple de Rousseau». «J'avais grande envie de rire, mais j'étais cruellement humilié».

– Après l'épisode enchanteur des Floridiennes, c'est l'irruption de «Bois-brûlé», symbole de la corruption amenée par les européens.

Ainsi, c'est toute la conception d'une Amérique de rêve, qui est remise en cause symboliquement : la terre américaine a été colonisée par une «aristocratie chrysogène», qui ayant bafoué les valeurs originelles de pureté et d'innocence, a détruit la civilisation indigène et par là même le mythe de l'épopée possible. L'annonce de l'arrestation du roi à Varennes, qui atteint Chateaubriand au-delà des mers et le «force» à retourner en France dans une Histoire qu'il ne peut refuser, apporte la révélation suprême de cette omniprésence qui contrôle l'individu...

> **Transition :** Mais si les *Mémoires d'Outre-Tombe* racontent l'histoire d'un individu qui s'efforce de retrouver «l'épopée de [son] temps» et qui échoue, créant par là même une distance volontaire entre son moi et l'Histoire, ne peut-on pas lire cependant dans l'écriture de Chateaubriand un désir de mêler intimement le moi et le temps dans une épopée qui revient en fait à une refonte scripturale du rapport ? Cette refonte s'organiserait alors dans un double enchâssement désormais possible au sein des *Mémoires d'Outre-Tombe*. C'est en fait cette inclusion que souligne la phrase testamentaire. D'une part l'écriture parvient à faire lire l'Histoire au travers du moi, d'autre part à fonder ce moi comme symbole même de l'Histoire et de ces vicissitudes. En d'autres termes, Chateaubriand s'efforce, au moyen d'une écriture d'arborer le masque du héros épique dans le cadre de ses productions imaginaires, puisque la vie réelle lui a refusé ce rôle.

*   *
*

2. *En effet*, le moi devient symbolique et épique dans une reconstruction due à l'écriture.

    A. Chateaubriand s'oppose à une certaine conception de la rédaction et du contenu des Mémoires qui pullulent sous la Restauration. Ils ne racontent pas des pensées ou des sentiments dans une «Histoire-destin», mais des carrières dans une Histoire non problématique illuminée exclusivement par leur propre réussite.

    Notes à rédiger : – Chateaubriand à l'origine d'un total renouveau : prise de conscience de la valeur et de la singularité de l'expérience individuelle et de son universalité. Il se situe entre Mémoires et Autobiographie : le récit historique dans le récit d'une vie. Le personnage est également producteur de la narration et le sujet de l'énoncé apparaît inséparable du sujet de l'énonciation.

Cependant, ce qui importe est moins la ressemblance de ce qui est décrit avec ce qui a été vraiment, que le double effort pour peindre sa propre relation au passé et ce passé tel qu'on a cru qu'il était. En conséquence, l'inexactitude en tant que telle ne présente aucun intérêt pour l'analyse...

B. Ce qui compte, c'est que le moi se considère comme un représentant privilégié de l'Histoire de son temps. Pour quelles raisons ? L'Histoire du XVIIIe siècle est marquée par la rupture que constitue la Révolution. Cette rupture, synonyme de déracinement et de perte d'identité se résume pour la classe nobiliaire à la mort violente ou à l'émigration. Pour le moi, la rupture est un traumatisme et une obsession. Il devient dès lors une illustration parfaite des conséquences du bouleversement. Mais l'écrivain ne s'arrête pas à cette constatation. Il fait dépendre toute l'Histoire qui suit de la rupture ; de même, tout ce qui précède la Révolution, tout le passé, sont revus en fonction de cette déchirure. Ainsi, l'obsession du moi, symbole d'une douloureuse coupure, se marque par une inlassable répétition de la Révolution dans le texte.

Notes à rédiger : – Mention à plusieurs reprises des morts causées par la Révolution (son frère, sa sœur, de Gesril, de Saint Riveul, du Roi, de la Reine). La mort qui fauche est le motif révolutionnaire constant.

– La Révolution s'incruste dans chaque description (lieux, paysages, vie d'auparavant) car tout a disparu.

– Le moi apparaît comme le pivot qui permet au texte de fonctionner toujours et aussitôt sur l'axe du comparatif. Le moi pivot s'érige en témoin d'un monde révolu : «Je suis comme le dernier témoin des mœurs féodales».

– Témoin nostalgique de la vieille France, témoin à charge de la nouvelle. Ex : Prise de la Bastille qui ressemble plus à une sorte de règlement de compte individuel et dérisoire qu'à un fait grandiose.

> – Loin de représenter la liberté, l'intervention du peuple fonctionne comme une atteinte à la liberté : «Les passants se découvraient avec le respect de la peur…».

Mais bien qu'il soit nostalgique de la vieille France, le moi reconnaît et blâme le manque de réalisme et la suffisance sans fondement de la noblesse face à la Révolution.

Notes à rédiger : – Il rejoint une émigration dont il n'aime pas la cause et dont il prévoit l'échec épique, par honneur et fidélité.

> – L'écriture du mémorialiste va faire de l'émigration une dérisoire épopée : «les républicains avaient le principe pour eux…» ; pour la noblesse, «rien n'avait passé, rien n'était advenu». Il est lucide parmi les inconscients et leur fatuité.

Malgré ce nouvel échec épique, il n'en demeure pas moins que Chateaubriand essaie d'insérer son destin dans un destin collectif et que ce destin individuel devient le symbole dans *Les Mémoires d'Outre-Tombe* du destin collectif. Chacun des épisodes de la vie de l'écrivain, même s'ils paraissent très éloignés de l'Histoire, miment encore la rupture et donc l'interpénétration du destin collectif et du destin individuel.

Notes à rédiger : – Réécriture de l'épisode de Combourg en 1833 pour faire de sa vie individuelle et familiale au château le symbole de l'ancien régime finissant. L'image de son père a été totalement remodelée par rapport à 1826. Elle devient fantomatique. En outre le fait que Chateaubriand signale le viol de la tombe de son père est significatif : l'ancien régime a été attaqué au moment où il était déjà mort, cette attaque correspond donc à une indignité inutile.

> – Pendant le retour d'Amérique en France, tous les éléments du texte désignent symboliquement les événements politiques dont l'Europe est le théâtre, et en particulier le «naufrage».

c. Mais par-delà la rupture révolutionnaire qui l'obsède, Chateaubriand rend compte de l'évolution historique comme d'une décadence. Cette manière de voir correspond à une conception radicalement idéaliste de l'Histoire élaborée tardivement et qui répond en fait à une polémique. On lit en effet dans *Les Mémoires d'Outre-Tombe* : «Il y a toute une nouvelle Histoire de France à faire, ou plutôt l'Histoire de France n'est pas faite».

Notes à rédiger : Le mémorialiste relève les erreurs commises :

– par Mme de Staël ; Chateaubriand insiste sur l'importance conférée au peuple par la monarchie et affirme qu'avant la Révolution le «royaume de France ... [était] démocrate dans son ensemble» et déjà émancipé, présentant la Révolution non comme «l'acte violent de l'émancipation d'un peuple, mais l'émancipation même, résultat de cet acte».

– par les adeptes de l'école fataliste dont il condamne la morale : «Jamais le meurtre ne sera à mes yeux un objet d'admiration et un argument de liberté».

Pour Chateaubriand, le moteur de l'Histoire est le mouvement des esprits, qui reflète un destin providentiel : «A toutes les périodes, il existe un esprit principe». Ainsi chaque idée considérée comme une force est vraie à son heure et le mémorialiste développe une conception relativiste.

Notes à rédiger : – Selon Chateaubriand cette idée est à son époque la liberté, non seulement trahie par Robespierre et Bonaparte mais encore contrariée par l'intervention du peuple incapable d'en user et qui la pervertit: «Les libertés de 1789 se nivelaient déjà sans le sceptre populaire...».

Ainsi, le mémorialiste recrée l'Histoire selon sa conception, ce qui est une façon détournée pour son moi de la dominer ; il se livre à une représentation, la Révolution devenant en quelque sorte un théâtre dont il est le spectateur.

Notes à rédiger : – Dimension théâtrale des *Mémoires d'Outre-Tombe* dans une double direction :

• le moi se présente lui-même comme un être en représentation et montre l'Histoire selon une optique théâtrale car, étant donnée la fragmentation, un discours cohérent et synthétique est impossible (métaphores théâtrales : «le théâtre de la terreur», personnages de théâtre : Necker, scènes de théâtre : séance de l'Assemblée Nationale chapitre III, Livre IX, etc.).

- le moi se constitue en spectateur de la pièce, moyen de se mettre à distance, mais aussi d'embrasser le tout (Prise de la Bastille : «J'assistai comme spectateur...»).

Transition : En fait, ce sont *Les Mémoires d'Outre-Tombe* dans leur intégralité qui sont conçues sur le mode du théâtre par un moi qui peut ainsi réduire l'événement à sa dimension, à son interprétation. La représentation de l'épopée à travers le moi, dans l'écriture, apparaît surtout comme une représentation des signes décryptés par le moi. Ainsi, l'épopée se fait par l'intermédiaire de signes qui par ailleurs contribuent à un projet d'unification de ce même moi.

*   *

*

3. Il semble *donc*, en fin de compte, que le désir de se constituer en héros épique soit dépassé par un projet parallèle de l'écriture de Chateaubriand.

A. L'écrivain cherche à lire dans sa vie et dans les diverses péripéties qu'il traverse les signes de son destin, représentant du destin collectif.

Notes à rédiger : — Le berger et le navigateur des *Mémoires d'Outre-Tombe* qui décryptent les signes du ciel, attestent l'importance de cette recherche symbolique.

— Récit de la naissance de Chateaubriand : les éléments d'une vie tirent leur signification d'autres éléments qui la précèdent et la dépassent ; avant le nouveau-né, la mer et la mort, devant lui, la certitude de la tristesse, conforme à celle d'une classe entière.

«Le ciel sembla réunir ces diverses circonstances pour placer dans mon berceau une image de mes destinées».

— Vision de la chute de la monarchie à la fin du voyage en Amérique : le signe de la «couronne

d'or radiée» lui apparaît comme un brasier avant
que son regard ne se pose sur un journal anglais
tombé à terre et qu'il lise «Flight of the king».

C'est l'omniprésence d'une Providence organisatrice qui permet
aux signes du destin d'exister et d'être lus : «Dieu fait bien ce qu'il
fait : c'est la Providence qui nous dirige lorsqu'elle nous destine à
jouer un rôle sur la scène du monde».

B. Cependant, sous le couvert de ce projet de représentation
personnelle attestée par les signes, se dessine dans *Les Mémoires d'Outre-Tombe* un second projet : celui d'une unification du moi, désireux de se renvoyer une image cohérente et
en même temps, de la présenter à la postérité.

Notes à rédiger : – Livre XI, chapitre premier : défauts de mon
caractère.

«Les portraits qu'on a faits de moi, hors de toute
ressemblance sont principalement dus à la réti-
cence de mes paroles... Quand au hasard j'ai
essayé de redresser quelques uns de ces faux
jugements on ne m'a pas cru».

– Malgré tout, Chateaubriand s'efforce de se dé-
fendre. Il atteste l'impossibilité du passage du
moi aux autres, de la communication entre le moi
et les autres, de l'objectivation du moi. La responsabilité en incombe stylistiquement au «on» qui
forme une sorte de mur abrupt devant le «je» dans
la deuxième phrase.

– Toujours dans le même ordre d'idées, le moi se
présente dans ce chapitre comme ne possédant
aucune des valeurs sociales essentielles : l'intériorité et la poésie constituent son refuge et la
richesse de sa vie.

C. Le domaine où le moi s'efforce visiblement de procéder à sa
propre unification est celui du temps.

Notes à rédiger : – Il se veut toujours le même en profondeur, à
Londres en 1822, alors qu'il n'est plus le pauvre
émigré, mais un ambassadeur «magnifique».

«Pensez-vous que je sois assez bête pour me
croire changé de nature parce que j'ai changé
d'habit ?».

Cette permanence de l'être malgré les changements extérieurs constitue une sorte de défi au temps. C'est ce défi qui sous la forme d'une reconstruction personnelle du Temps dans l'écriture, place le moi au-delà de l'Histoire, en tant qu'elle est succession temporelle et donc pesanteur. De fait Chateaubriand écrit : «Supprimons ces vingt-deux ans». Il aboutit ainsi à une «interpénétration» dont il est en quelque sorte le seul à déterminer les lois : «les événements variés et les formes changeantes de [sa] vie entrent ainsi les uns dans les autres». Alors la rupture irrémédiable entre les événements, instaurée par le temps, apparaît surmontée par «l'unité indéfinissable de l'écriture».

Notes à rédiger : – Ex : entre les deux rencontres de Charlotte Ives et les relations avec Francis Tulloch ne s'interpose plus aucune béance temporelle angoissante...

Mais, malgré ce pouvoir magique de l'écriture l'écrivain des *Mémoires d'Outre-Tombe* est lucide. Il semble en effet conscient que sa vie reste composée de morceaux rapportés qui se contredisent. Pourtant, s'il n'arrive pas à recréer une unité de lui-même sur laquelle il puisse ne plus revenir, le moi, dans sa volonté d'embrasser le tout, s'efforce d'accaparer l'Histoire dans son domaine propre : sa vie et ce qu'il écrit.

Notes à rédiger : – Constatation significative à propos du terme «révolution» : il emploie ce terme aussi bien pour suggérer l'irruption du désir dans sa vie que pour marquer le renouveau dans l'écriture qui en est la conséquence.

En outre, dans *Les Mémoires d'Outre-Tombe*, la mort apparaît comme le «port commun» de l'Histoire et du moi. Pour Chateaubriand, la fin de l'Histoire et celle du moi se conjuguent dans l'image fréquente de la tombe.

Notes à rédiger : – Toute civilisation, tout homme ne peuvent échapper à l'anéantissement :

«Les tribus du nouveau-monde n'ont donc qu'un seul monument : la tombe».

Tombe : angoisse de la disparition, mais aussi trace indélibile de la présence passée.

– Le parcours du moi revient à un lent cheminement vers la mort dont la présence est continuelle :

«Toute notre vie se passe à errer autour de notre tombe».

La vie est constituée de morts successives :

«Tous mes jours sont des adieux».

De même l'Histoire est une succession de morts de civilisations qui conduit à l'éternité.

Ainsi, l'écriture et la poésie forment à la fois un biais d'appropriation personnelle de la part du moi désireux de devenir centre, et un moyen de mimer la mort. Le paradoxe se révèle positif dans la mesure où l'écriture recrée le néant, mais par là même le dépasse. La voix de Chateaubriand s'est éteinte, mais dans le silence du néant de leur créateur, *Les Mémoires d'Outre-Tombe* existent et demeurent.

*   *

*

3. Sujets de littérature comparée

I. Thème : Le théâtre politique.

«Une tâche essentielle incombe à l'auteur. Lui aussi doit cesser d'être la personnalité autocratique qu'il était, lui aussi doit apprendre à faire passer ses propres idées, son originalité propre, après les idées qui vivent dans la psyché de la masse, après les formes triviales qui sont claires et évidentes pour chacun» écrit Erwin Piscator. *Les Acharniens* et *les Cavaliers* d'Aristophane, *La résistible ascension d'Arturo Ui* de Brecht, *L'Ile pourpre* de Boulgakov et *Ubu roi* de Jarry sont-elles des œuvres susceptibles d'illustrer cette vision ?

Problématique

1. Dans quelle mesure cette conception apparaît-elle vérifiée dans les textes proposés ?
2. N'y a-t-il pas certaines insuffisances, des inexactitudes, ou tout simplement un parti-pris dans l'opinion d'Erwin Piscator ?
3. Peut-on et doit-on véritablement «codifier» de la sorte l'attitude des auteurs de farces politiques ?

Plan

1. Les rapports entre le théâtre et la réalité. Les relations entre l'auteur dramatique, sa création et son public.

A. L'auteur est inscrit dans une situation historique, sociale et politique précise.

B. Dans la perspective d'Erwin Piscator, l'écrivain doit se livrer à trois choix successifs pour que son écriture porte le mieux possible : la forme du message, «les idées qui vivent dans la psyché de la masse... et... les formes triviales... claires et évidentes pour chacun», la manière dont son originalité propre va venir se greffer sur ce qui précède.

C. C'est la farce, mettant en scène «une situation plaisante empruntée à la vie ordinaire» qui permet le passage entre «les idées de la psyché», «les formes triviales» et les «propres idées de l'auteur».

D. Le théâtre est centré sur le public également dans la mesure où le personnage de fiction opprimé s'identifie au spectateur, qui ainsi par contrecoup effectue un mouvement réciproque.

2. *Cependant* la pensée d'Erwin Piscator ne semble pas rendre compte de la pratique théâtrale des œuvres proposées. *De fait*, en y regardant de plus près, on pourrait considérer à certains égards que son raisonnement est incomplet, inexact, voire partisan.

A. Les «idées de la psyché» ne peuvent jamais être objectives.

B. De plus, partir, comme le préconise Erwin Piscator, des formes de pensée et des représentations propres au public, n'est-ce pas en fait une manière de sous-estimer les capacités de ceux auxquels on s'adresse ?

C. Dans les rapports entre la fiction de la pièce et le réel auquel elle renvoie, le fictif peut être débordé par le réel, ou le réel donné expressément comme tel. Quand c'est le cas, l'auteur intervient personnellement.

D. Cette autocratie revient en fait à une visée didactique de la part du dramaturge. Le didactisme ne revêt aucun caractère pesant du fait du comique et de la rapidité de l'action.

3. *Alors*, quelle doit être l'attitude de l'auteur dramatique ? *En effet*, s'il part du public, il n'est pas sûr que le spectateur parvienne à sa pensée en dépassant la farce ; inversement s'il part unique-

ment de sa propre personnalité, il n'est pas certain non plus que le spectateur accepte de le suivre.

A. Pour faire fonctionner sa pièce comme une démonstration, il semble donc que le dramaturge doive nécessairement jouer d'un savant dosage.

B. Le théâtre n'est pas donné comme un simple lieu de divertissement, mais comme le lieu même du réel. Il reflète le réel et le réel doit le prolonger, puisque la pièce est un appel à l'action.

C. On note dans ce cadre l'omniprésence implicite de la relation à la politique et aux politiciens.

D. Chaque créateur comme chaque critique possède son tempérament. En outre le chef-d'œuvre est impossible à codifier.

Plan détaillé du développement

1. Quels sont les rapports entre le théâtre et la réalité, quelles sont les relations entre l'auteur dramatique, sa création et son public ?

   A. Il semble nécessaire avant tout de bien se figurer que l'auteur est inscrit dans une situation historique, sociale et politique précise.

   Notes à rédiger : – Aristophane : citoyen athénien révolté contre les ravages de la guerre prolongée par les gouvernants dans des visées lucratives, et la démagogie sous toutes ses formes dont le peuple athénien est la victime.

   – Pièce de Brecht écrite en 1941, en pleine ascension hitlérienne par un marxiste en exil.

   – Boulgakov met en scène un auteur dramatique, une troupe et son directeur dans les années 1920 en Union Soviétique, au moment où les théâtres sont soumis à la censure. Il montre l'influence de l'histoire et de la politique sur le métier même d'auteur dramatique et la représentation théâtrale. Boulgakov a connu dans son pays une longue période de silence et son existence ne fut guère aisée…

– Malgré le désengagement de Jarry, Ubu est une féroce caricature du bourgeois égoïste et stupide, lâche et avide, qui peut symboliser la classe au pouvoir dans les années 1890, dans sa volonté d'accaparement.

Quoi qu'il en soit, donc, l'écrivain apparaît confronté à une situation en fonction de laquelle, étant donné son regard pénétrant et sa position personnelle, il ne peut être neutre mais engagé politiquement. De là naît en lui le désir de transmettre un message politique dont le contenu correspondra au sens de son engagement. Ce sens ressort d'une analyse qui se veut lucide et utilitaire pour le citoyen et l'État lui-même. Brecht l'atteste : «L'*homme de théâtre n'a pas à chercher ses leçons auprès de l'État. L'État au contraire peut apprendre du dramaturge*»...

B. Dans la perspective d'Erwin Piscator, l'écrivain doit se livrer à trois choix successifs pour que son écriture porte le mieux possible : la forme du message, «les idées qui vivent dans la psyché de la masse... et... les formes triviales... claires et évidentes pour chacun», la manière dont son originalité propre va venir se greffer sur ce qui précède.

La forme théâtrale semble la meilleure pour faire passer le message. Les quatre auteurs y ont souscrit. Pour quelles raisons ?

Notes à rédiger : – Le théâtre s'adresse généralement au plus grand nombre. On veut le convaincre. Aristophane s'adresse aux paysans : les victimes. Brecht au peuple allemand, au prolétariat, aux peuples bernés ou intimidés par le nazisme, et au peuple américain pour le faire intervenir.

– Le message théâtral est direct, immédiat, mais aussi complet et ininterrompu.

– De plus, il est plus concret et plus vivant (imprégnation de certaines scènes dans l'esprit du public).

– La résonance est plus grande, car on crée un jeu de miroirs.

Cependant, pour que la transmission du message politique se fasse dans de bonnes conditions, le dramaturge doit se rapprocher de la structure mentale du public et adopter ses formes de pensée et ses formes privilégiées. Ainsi le spectateur devient le véritable centre de la création.

Notes à rédiger : – Les idées simples susceptibles d'emporter l'adhésion du spectateur se situent à deux niveaux, celui des passions et du corps, celui de l'éthique. On peut donc citer : l'instinct de conservation, la liberté, la justice...

Ces idées sont en quelque sorte instinctives. Elles provoquent un mouvement automatique de pulsion suivi d'une réaction, même si elles semblent en sommeil. C'est ce mouvement humain fondamental que le dramaturge doit faire renaître en créant sur scène des manifestations qui impliquent exactement le contraire de la référence instinctive immanente, c'est-à-dire un monde à l'envers souvent angoissant.

– Dans *les Acharniens*, ex : la scène des ambassadeurs qui non seulement n'ont pas rempli leur mission honnêtement, mais en plus affabulent aux frais des Athéniens. De plus, on intime le silence à Dicéopolis, qui les dénonce, précisément dans le lieu où s'exerce la démocratie...

– Dans *L'Ile pourpre*, ex : le cassant «Interdiction de représenter» de Sava Loukitch atteste à la fois son autoritarisme et son injustice puisqu'il réduit les comédiens au chômage.

– Chez Brecht, la parole est régentée par la tyrannie des gangsters. Chez Jarry, Ubu aux paysans indigents : «Je m'en fiche. Payez». Le point culminant de la trahison des idées instinctives : le meurtre, est atteint chez ces deux derniers auteurs.

Mais cela ne suffit pas, c'est pourquoi ces idées fondamentales sont mises en évidence par une forme de représentation tout à fait transparente et familière pour le grand public.

Notes à rédiger : – un comique simple : les insultes (*Les Cavaliers, Ubu roi*) ; les coups (Ubu marionnette fidèle à la tradition du guignol). Fonction : la décrispation.

– La représentation de la réalité quotidienne : Brecht utilise des noms très proches de ceux de leurs modèles réels de l'actualité ; il décrit les États-

Unis de l'après première guerre mondiale et en particulier une ville très agitée Chicago. Rappel d'un problème grave qui se pose au public au moment où il regarde la pièce : les références au révolver et à la mitraillette pour refléter les moyens de l'expansion militaire nazie.

Emploi du langage quotidien : les interjections des personnages chez Aristophane, les hésitations de la langue parlée chez Boulgakov, le langage argotique imagé chez Brecht, la scatologie même déformée chez Jarry : «Merdre».

– La clarté même des situations et des personnages. L'intrigue progresse toujours à partir d'un personnage central. Dicéopolis, Ubu, Ui sont presque toujours en scène ; même si Sava Loukitch n'apparaît, qu'au troisième acte de la pièce de Dymogasky, son absence est donnée dès le début comme une présence encore plus terrible. De plus, le visage d'Ubu apparaît encore plus typé dans la trivialité par l'usage du masque. Enfin, même s'ils ont des modèles vivants, les personnages sont réduits à quelques traits principaux.

– L'effet visuel : disputes continuelles, donc animation de la vie dans *les Cavaliers*, attaques et contre-attaques éclair dynamiquement suggérées par Jarry, constant jeu de lumières dans la scène du procès chez Brecht, qui efface les maillons susceptibles de ralentir le mouvement. Animation progressive du théâtre chez Boulgakov.

c. C'est la farce, définie par H. Bénac comme mettant en scène «une situation plaisante empruntée à la vie ordinaire» qui permet le passage entre «les idées de la psyché», les «formes triviales« et les «propres idées de l'auteur». Erwin Piscator insiste sur le fait que les idées du dramaturge ne doivent pas primer, mais s'insérer dans un schéma préexistant déterminé par le public, c'est ce qu'il exprime par le terme le plus important de son raisonnement : «après», qui renvoie à l'abolition de l'autocratie de l'auteur dramatique. La farce revêt deux formes principales : le grossissement outrancier ou caricature et le rabaissement. A l'aide de ces deux procédés on montre plus clairement à la conscience du spectateur

que ses valeurs traditionnelles sont bafouées par ceux qui dé-
tiennent le pouvoir.

Notes à rédiger : – L'outrance : dans *Les Acharniens*, d'abord l'invraisemblance des propos des ambassadeurs
suscite le rire, mais ensuite la reprise de Dicéopolis, par le décalage qu'elle introduit, provoque
l'indignation. Même si l'outrance contribue à
truquer la réalité dans une certaine mesure, elle
n'en suggère pas moins une réalité profonde.

Dans *L'Île pourpre*, Sava Loukitch institue à la
fois l'obligation d'une révolution prolétarienne
internationale et d'un décalque avec le rôle joué
par les marins dans la révolution soviétique.
Malgré la déformation, «l'intoxication idéologique» est suggérée. Chez Brecht et Jarry, parodies
de procès et terreur institutionnalisée.

– Le rabaissement sous toutes ses formes : chez
Brecht l'Allemagne devient Chicago, lieu du
racket, du meurtre, de la prostitution. Aristophane rabaisse systématiquement toutes les causes de guerre pour mieux prendre à parti les
personnages officiels qui excitent les athéniens
contre leurs ennemis.

Volonté de rendre les personnages farcesques :
Ui adopte des attitudes mécaniques et Brecht
montre qu'une certaine politique est l'art de feindre. On se rapproche du spectateur en rendant les
personnages vulnérables, en les faisant tomber
de leur piédestal.

D. Le théâtre est centré sur le public également dans la mesure
où le personnage de fiction opprimé s'identifie au spectateur,
qui ainsi par contrecoup effectue un mouvement réciproque.

Notes à rédiger : – Dicéopolis utilise la première personne du plu-
riel.

– Le public partage le désespoir de Dymogasky.
Boulgakov donne au spectateur la possibilité de
devenir un acteur de sa pièce.

Tout est théâtre. *L'Île pourpre* contient deux
pièces distinctes et la salle est une troisième
scène.

– Identification pathétique chez Brecht dans l'épi-

sode de la femme ensanglantée : «et *tous* accep-
tent ça *!* Et *nous* en crevons *tous !*»
— Dans *Ubu roi*, le public a l'impression que devant
ses yeux se déroulent pour son plaisir des saynet-
tes farcesques auxquelles il pourrait participer.

Un tel théâtre assume deux fonctions principales : une fonction
éthique dans la mesure où la subjectivité de l'auteur dramatique se
porte entièrement vers celle du spectateur, amorçant un mouvement d'universalité ; une fonction sociale dans la mesure où grâce
au respect du spectateur, le dramaturge peut le divertir et l'intéresser à la fois, sans l'aliéner parce qu'il crée un regard collectif, un
regard avec...

Transition : Mais ce regard collectif, aboutissement de la pensée
d'Erwin Piscator rend-il compte de la pratique théâtrale des
œuvres proposées ? En effet, la conception énoncée n'est-elle
pas réductrice, puisqu'elle procède en définitive de présupposés
subjectifs et d'une idée préconçue du public. L'auteur dramatique peut-il et doit-il véritablement abandonner toute forme
d'autocratie ?

*   *
*

2. *De fait*, en y regardant de plus près, on pourrait considérer à
certains égards que le raisonnement d'Erwin Piscator est incomplet, inexact, voire partisan.

A. Tout d'abord, rien n'est évident au sujet des valeurs. Les
«idées de la psyché» n'existent pas en tant que telles : la subjectivité doit agir pour les déduire de telle ou telle situation,
ce qui implique qu'un choix préexiste à la norme. Ainsi ces
valeurs ne sont jamais objectives.

Notes à rédiger : — Les auteurs semblent mettre l'accent sur cette
idée : Ubu veut purement et simplement évacuer
les valeurs. Sava Loukitch est certainement per-
suadé d'avoir raison et de faire le bien puisqu'il ne
désire après tout que l'éducation idéologique du
spectateur et qu'il pense combattre l'aliénation.

Donc, même si la référence semble partir de l'universel, il est certain que c'est l'auteur qui l'emplit d'un contenu personnel.

Notes à rédiger : – Par exemple, la liberté prônée par chacun des quatre auteurs est différente. Pour Brecht elle va à l'encontre de l'oppression capitalo-nazie, pour Aristophane, dont la référence est la victoire de Marathon, elle vise au conservatisme, pour Boulgakov il s'agit de la possibilité d'expression artistique, pour Jarry enfin c'est une liberté placée sous le signe de l'anarchie, avec la destruction de toutes les institutions.

Bien plus, il semble qu'Erwin Piscator admette implicitement le présupposé de la bonté de la nature humaine. Sur ce point également, les œuvres semblent le contredire.

Notes à rédiger : – Par exemple la démocratie, bien fondé du peuple, qui peut mener, pour Aristophane, à l'aberration : la dénonciation.

Comment en outre supposer à partir de ces exemples à la fois une unité et une permanence de la nature humaine ?

Notes à rédiger : – Rien ne laisse prévoir l'éclatement de Dymogasky, réservé et timide au début de la pièce de Boulgakov.

B. L'auteur dramatique peut-il partir des «idées de la psyché» s'il les réfute dans son œuvre même ? De plus, privilégier, comme le préconise Erwin Piscator, des formes de pensée et des représentations propres au public, n'est-ce pas en fait une manière de sous-estimer les capacités de ceux auxquels on s'adresse ?

Notes à rédiger : – Dépassement de cette conception chez les quatre auteurs qui parsèment leur pièce d'allusions culturelles fonctionnant soit comme telles, soit comme renforcement de leur visée politique.

Chez Aristophane parodie d'Euripide et du style tragique, chez Brecht du style élizabéthain et de Shakespeare, chez Jarry de Shakespeare et de Corneille, de Shakespeare encore chez Boulgakov.

Ex : Dans la pièce de Brecht la parodie du discours de Marc-Antoine de *Jules César* de

Shakespeare et les références à Richard III montrent que les situations politiques sont inscrites dans une sorte de cycle du retour et que la politique quoi qu'elle fasse ne peut échapper à l'éthique. Le fantôme de Roma dit à Ui : «le jour viendra où ceux que tu as fait abattre se dresseront, Arthur».

La référence culturelle s'adresse uniquement à une partie du public : celle qui est cultivée. Le public n'est donc pas homogène.

Notes à rédiger : – Niveaux sociaux et intellectuels différents, mais aussi divergences d'opinions politiques, alors qu'Erwin Piscator part de l'idée d'un public unifié. La salle peut contenir à la fois le modèle, le partisan ou le reflet de celui ou ce qu'on attaque. Les opinions du public et du dramaturge ne correspondent pas toujours. Dans ce cas le dramaturge tente d'imposer son regard individuel et son point de vue à la communauté. Donc une certaine part d'autocratie demeure…

c. Dans les rapports entre la fiction que la pièce expose et le réel auquel elle renvoie, le fictif peut être débordé par le réel, ou le réel donné expressément comme tel. Quand c'est le cas, l'auteur intervient «personnellement» sur scène et l'on ne peut dire comme le voudrait Erwin Piscator qu'il abandonne sa «personnalité autocratique».

Notes à rédiger : – Cléon, personnage réel, est nommé dans *les Acharniens*. Les panneaux présentés à la fin de chaque scène, chez Brecht, inscrivent la fiction dans le réel pour ne pas donner à voir une simple farce. Ils suppléent également à l'analyse du spectateur, livrant la bonne interprétation et rendant le contre sens impossible.

– Boulgakov cite ses propres déboires dans sa pièce.

Mais le travail de la «personnalité autocratique» du dramaturge n'apparaît nulle part mieux que dans le mouvement dramatique des pièces.

Notes à rédiger : – «Aménagement» méthodique dans *les Acharniens*. La progression dramatique naît du conflit

entre Dicéopolis et le chœur, représentant les
spectateurs. Peu à peu tout le chœur se rallie à
l'opinion de Dicéopolis.

– Chez Boulgakov, c'est le mouvement antithéti-
que des deux pièces enclavées l'une dans l'autre
qui est révélateur, puisque celle qui est donnée
comme fictive progresse vers la liberté, l'autre
vers l'asservissement.

– Répétition relevant aussi de l'autocratie. Ex :
dans le discours de Ui, le fameux «ou bien que
sais-je» montre la vacuité de son être.

D. Cette autocratie revient en fait à une visée didactique de la
part du dramaturge. Le didactisme ne revêt aucun caractère
pesant du fait du comique et de la rapidité de l'action.

Notes à rédiger : – La pièce de Brecht est construite en séquences
assez brèves qui visent à appeler le spectateur à
l'action ; on lit dans l'épilogue : «Agissez au lieu
de bavarder».

Transition : *Ubu roi* ne témoigne pas à proprement parler
d'interventions de l'auteur. Il semble difficile de soutenir que la
pièce développe un didactisme élaboré. Ainsi Jarry apparaîtrait
en quelque sorte plus proche de l'idée de Erwin Piscator dans la
mesure où il fait peut être passer les «idées de la psyché» et les
«formes triviales» avant l'originalité de sa pensée ; cependant
l'auteur dramatique d'*Ubu roi* aboutit au non-sens, à l'impossibilité d'interprétation univoque, et enfin à son propre efface-
ment...

*   *
*

3. *Alors*, quelle doit être l'attitude des auteurs de farces politiques ?
En effet, si l'auteur dramatique part des formes de pensée et des
représentations du public, il n'est pas sûr que le spectateur
dépasse le simple niveau de la farce pour aller dans un au-delà
où se situe la pensée du dramaturge. Inversement, si l'auteur,
privilégiant sa «personnalité autocratique» part uniquement
d'elle, il n'est pas certain non plus que le spectateur accepte de
le suivre. Il peut soit refuser le message politique, soit s'ennuyer
en entendant un discours dogmatique.

A. Pour faire fonctionner sa pièce comme une démonstration, à l'égard du public, il semble donc que le dramaturge doive nécessairement jouer d'un savant dosage entre les formes de pensée et les représentations privilégiées du public, qui lui permettent de faire passer son message, et l'autocratie, qui lui donne la possibilité de guider le spectateur au milieu de la farce, c'est-à-dire de l'aider à trouver la ligne directrice et les voies importantes qui en émanent.

Notes à rédiger : – Regard du dramaturge ni collectif, ni particulier. Il doit se situer dans l'entre deux correspondant à une transmission parfaite du message, dans un divertissement non aliénant.

Ex : le chœur, dans *les Acharniens*, dirige sur Dicéopolis le même regard que les spectateurs. En outre, le personnage devient un double sur scène du spectateur, et même un intermédiaire qui commente.

– D'un autre côté, il y a toujours un sens secret à déduire et c'est surtout la personnalité autocratique de l'auteur qui met le spectateur sur la voie. Les pièces sont conçues comme des symboles. La sous-titre de la pièce de Brecht est *Parabole*. La réalité cesse d'apparaître comme nécessaire. Elle semble à la scène, étrange, surprenante, éloignée de nous ; Dymogasky/Boulgakov parle à deux reprises d'allégorie.

Le symbole constitue un moyen privilégié d'atteindre et de faire percevoir le réel. Un réel avec lequel le théâtre doit maintenir une relation constante.

B. Le théâtre n'est pas donné comme un simple lieu de divertissement, mais comme le lieu même du réel. Il reflète le réel et le réel doit le prolonger, puisque la pièce est un appel à l'action. Cette interaction ne peut exister que si le lieu théâtral est considéré comme celui où la vérité éclate et où les démystifications s'opèrent.

Notes à rédiger : – Dans le prologue de la pièce de Brecht, le bonimenteur précise qu'on ne quitte «pas d'un pas le réel authentique».

Relation de microcosme à macrocosme entre le théâtre et le réel illustrée par *l'Ile pourpre*. On assiste à un dévoilement du théâtre comme théâtre et non comme reflet du réel (coulisses, décors interchangeables). Se pose alors la question de savoir si le réel ne fonctionne pas sur la même illusion que le théâtre. A l'aide de ce jeu, Boulgakov met en cause un régime qui vit sur les structures mêmes qu'il croit avoir abolies : la hiérarchie par exemple.

c. Et c'est ce substrat diffus qui rappelle implicitement l'omniprésence de la relation à la politique et aux politiciens.

Notes à rédiger : – Pour Boulgakov, elle s'inscrit dans la contradiction flagrante. Ex : le censeur s'asseyant sur «l'extrône...» «devient comme le souverain de l'île». L'auteur critique violemment les systèmes capitaliste, colonialiste et impérialiste, mais pas le système socialiste en tant que tel. Ce sont ses déviations qui sont attaquées. Elles aboutissent à vider un mot fondamental comme «idéologie» de son contenu positif et à le transformer en une sorte d'obsession.

– Aristophane considère le théâtre comme une manifestation de la démocratie. L'auteur dramatique y propose des choix politiques au peuple qui juge par des applaudissements qui équivalent à un vote positif pour le poète.

– Brecht, lui, ne manque pas d'attribuer la responsabilité du dérèglement politique à la lâcheté et à la passivité du peuple. Ce pessimiste est accentué par la présence de l'humour noir.

Dans *Ubu roi*, la situation est différente. Malgré tout le cauchemar et le macabre attestés par Jarry -«le comique macabre d'un clown anglais ou d'une danse des morts»-, il n'en demeure pas moins que la farce et le comique sont présents parce qu'il n'existe pas à proprement parler de parti-pris.

Notes à rédiger : – Jarry semble vouloir jeter à la Trappe la politique et les politiciens aussi inutiles que ridicules.

Ubu est aussi un «double ignoble» du public bien pensant de la fin du XIXe siècle.

Pas de message politique spécifique ; Ubu est fait pour agir sur le spectateur.

En faisant de son personnage un incurable imbécile, un goinfre, un être vil et un tyran, il semble que le dramaturge se soit efforcé de pousser jusqu'à sa dernière extrémité la prétendue «bonne conscience» du public de son époque et de toutes les époques. En effet, Ubu est à l'origine d'un cycle sans fin : roi d'Aragon chassé, il devient «capitaine de dragons» en Pologne ; roi de Pologne chassé, il deviendra peut-être «Maître des Finances à Paris... En outre, il continue sa «carrière» dans de nouvelles pièces de Jarry.

Notes à rédiger : – La destinée d'une pièce rebondit avec les mises en scène qui en sont faites. Danger que les *Cahiers* de Brecht s'efforcent de pallier en donnant des modèles de mises en scène fidèles à la pensée du créateur.

– Message politique d'Aristophane perdu pour le spectateur moderne. *Ubu roi* : lieu de tous les possibles.

D. Ainsi chaque créateur, comme chaque critique possède son tempérament. En outre, le chef d'œuvre est impossible à codifier.

En fin de compte, le théâtre et la farce politique en particulier témoignent d'une rencontre entre le message à transmettre d'un auteur dramatique, le savoir-faire et l'intention d'un metteur en scène, l'action du temps sur les êtres humains et enfin la personnalité et l'imagination propres du spectateur.

Notes à rédiger : – Spectateur pris entre le message et la responsabilité de l'auteur, la déformation possible de ce message et le sens de cette déformation étant donnée son origine.

– Donc position délicate et difficile à la fois. C'est peut-être cette position qui constitue le véritable problème du théâtre politique...

*   *

*

II. Thème : L'État et le Souverain

Les systèmes politiques promus par Aristote dans *La Politique*, par Machiavel dans *Le Prince*, par Hobbes dans *Le Corps politique* et par Rousseau dans *Le Contrat social* vous semblent-ils rationnels ?

Problématique

1. Qu'attendent de telles œuvres de la part du lecteur ?
2. Comment fonctionnent les systèmes proposés ?
3. Ne sont-ils pas caractérisés par l'ambiguïté et le paradoxe ?

Plan

1. Ces œuvres attendent et impliquent une réaction de la part du lecteur

   A. Elles sont didactiques.

   B. La distinction, l'organisation et l'illustration semblent être les moyens privilégiés du didactisme.

   C. Le lecteur est confronté à une écriture politique, qu'il soit un simple individu, une autorité politique individuelle, le membre d'une collectivité, un autre écrivain politique.

2. Cette écriture politique utilise la logique pour convaincre. *En effet*, ces systèmes se veulent fondés sur la raison.

   A. La démonstration logique constitue la base des raisonnements proposés.

B. Cependant, malgré le recours à la logique et à la rationalisation, des divergences se font jour dans des raisonnements qui partent de points similaires ou assez voisins...

C. Les failles de la démonstration et les contradictions de la raison, qui recourt au sentiment, peuvent aussi être mises en valeur par le lecteur de ces œuvres.

3. *Mais* pourquoi ce recours au sentiment a-t-il lieu ? Ne rend-il pas le raisonnement ambigu et paradoxal ?

A. En fait, il semble que le sentiment et même la passion soient à l'origine de la création de l'œuvre politique et expliquent certains postulats de départ.

B. La passion finit même par se glisser insidieusement dans le raisonnement même.

C. Le sentiment a une incidence sur l'aboutissement des systèmes politiques mis en valeur.

Plan détaillé du développement

1. Ces œuvres attendent et impliquent une réaction de la part du lecteur.

A. Tout d'abord, on remarque qu'elles sont didactiques.

Notes à rédiger : – Clarté du sujet et de l'interpellation : ce qui est en cause, c'est la liberté de l'individu.
– Trois questions à l'origine des œuvres.
Machiavel : Comment établir l'Etat ?
Pour lui, la vocation du Prince est de fonder l'Etat. Il a un modèle réel César Borgia.
– Hobbes et Rousseau : Quelle est la meilleure forme de l'Etat ? Leur manière de procéder est plus abstraite.
– Aristote, lui, fait une recherche qui se veut objective sur les différentes structures politiques et les moyens de leur conservation.

B. La distinction, l'organisation et l'illustration semblent être les moyens privilégiés du didactisme.

Notes à rédiger : – Distinction

- dans l'écriture : chez Aristote, balancement et types d'argumentation binaires ; chez Machiavel l'alternative, à partir de laquelle un choix est opéré tout au long du *Prince*.

- dans la composition : chez Aristote, au livre V de la *Politique*, on trouve un plan en cinq points correspondant à des distinctions fondatrices d'une construction intellectuelle ; chez Machiavel, une nette distinction opératoire est posée dès le chapitre 1ᵉʳ, elle concerne les genres d'États et les modes de conquête ; chez Hobbes grand souci de la composition, d'ailleurs un peu lourde peut-être de ce fait -son livre est un ensemble intégré et enchaîné, issu de la distinction dans une succession- ; le principe de la composition chez Rousseau est de mettre en valeur les termes fondamentaux.

– Organisation

- Supposition de l'existence d'un déjà dit et rappels ; chez Machiavel, Hobbes et Rousseau, la répétition a une fonction privilégiée.

- Utilisation du résumé de la sentence, de la maxime et de l'énonciation synthétique.

  Aristote part souvent d'une sentence. Ex : «C'est la recherche de l'égalité qui suscite les séditions».

  Rousseau utilise tous ces procédés et demande explicitement et fermement la participation du lecteur :

  «J'avertis le lecteur que ce chapitre doit être lu posément, et que je ne sais pas l'art d'être clair pour qui ne veut pas être attentif».

– Illustration

- Dans un cadre abstrait, l'illustration est nécessaire pour continuer à susciter l'intérêt du lecteur. Ainsi la métaphore du corps humain pour évoquer le Corps politique chez Aristote, Hobbes et Rousseau est nette ; plus floue chez Machiavel. Ex : la reconnaissance de la mortalité de l'État, la description de ses maladies, l'examen des remèdes.

Même si les causes, les diagnostics et les solutions diffèrent selon les auteurs, le didactisme qui les propose contribue à l'instauration d'un rapport d'intelligence avec le lecteur.

B. Le lecteur est confronté à une écriture politique qu'il soit un simple individu, une autorité politique individuelle, le membre d'une collectivité, un autre écrivain politique.

Notes à rédiger : – Le lecteur est un simple individu : c'est le cas chez Hobbes ; le philosophe le glorifie à travers celui qui lui renvoie son image constituée en personne civile : le souverain. C'est un moyen de justifier la monarchie.

– Le lecteur est une autorité politique individuelle : c'est le cas chez Machiavel ; le livre est adressé à Laurent de Médicis, c'est l'offrande habile d'une expérience théorisée. En fait, Machiavel prétend faire profiter de son savoir un Prince selon lui capable de prendre le pouvoir et dont il attend une réhabilitation méritée.

– Le lecteur est membre d'une collectivité : c'est le cas chez Rousseau où ce lecteur est invité à concevoir la volonté générale pour participer au système qu'elle fonde pour l'utilité publique.

– Le lecteur est un autre écrivain politique. Dans ce cas, méthode et esprit critique jouent plus, mais un inconvénient : cette lecture ne peut être que chronologique (ex : Rousseau lecteur de Hobbes).

Transition : Mais quelle que soit l'appréciation du lecteur, l'auteur politique s'efforce de fonder son écriture sur une démarche rationnelle. On a à faire à quatre systèmes qui se disent fondés sur la raison, et qui n'ont pas manqué d'être critiqués en son nom dans la mesure où seule la raison décèle la déraison d'une logique : une raison qui s'astreint à rester elle-même, ce que ne fait pas la première, qui outrepasse ses compétences.

*   *

*

2. Tout d'abord, *en effet*, ces systèmes se veulent fondés sur la raison.

    A. La démonstration logique constitue la base des raisonnements proposés.

    Notes à rédiger : – L'écriture revêt un aspect démonstratif et logique. Le style d'Aristote est impersonnel. La première personne est rare. Le sujet grammatical des phrases est souvent l'État ou l'un de ses éléments. C'est un effacement délibéré des marques de la subjectivité. Les panneaux indicateurs de son discours ont la même fonction.

    Machiavel a deux modes privilégiés : l'examen de toutes les situations possibles et imaginables et une solution trouvée pour toutes, l'enchaînement logique d'un chapitre à l'autre (ex : début du chapitre XIV «Les princes doivent *donc...*»).

    Hobbes : style mathématique caractérisé par l'énumération et la dépendance logique. La déduction logique déroule son système d'implications et le concept se constitue par le dévoilement de son extension. Le style mime la pensée et ses ratios.

    Même souci de logique marqué par le style chez Rousseau qui s'efforce de plus de prévenir toute remarque tendant à briser sa logique : «Mais dira-t-on...». Cela d'une part parce que le langage politique est à créer et que Rousseau se présente comme une sorte de pionnier, d'autre part parce que le langage humain est caractérisé par la succession et qu'il ne peut tout exposer à la fois.

    – Les systèmes se veulent logiques.

    Aristote va de la description à la prescription, Machiavel parle de la perfection d'une méthode politique réaliste qui part d'une analyse négative de la nature humaine et va jusqu'au recours à la solution radicale.

    B. Cependant, malgré le recours à la logique et à la rationalisation, des divergences se font jour dans des raisonnements qui partent de points similaires ou assez voisins.

    Notes à rédiger : – Machiavel, Hobbes et Rousseau partent de la notion de crainte. Mais pour les deux premiers nommés, la crainte existe à l'état de nature, pour

Rousseau elle ne survient qu'avec l'existence d'une société, ce qui éloigne les deux types de raisonnement. De plus, malgré le rapprochement du départ, Machiavel et Hobbes aboutissent à des conclusions totalement différentes.

En outre, dans l'ordre chronologique, il arrive que la raison devienne critique d'un texte à l'autre.

Notes à rédiger : – Ex : la raison de Rousseau veut s'efforcer de marquer les moments où celle de Hobbes déraisonne, logiquement et sans céder aux sentiments. En fait, deux concepts de la raison s'affrontent, celle du XVIIe siècle plus mécanique - Hobbes privilégie le principe de causalité -, et celle du XVIIIe siècle à la fois plus souple et plus rigoureuse dans sa fonction critique liée à l'expérience. Rousseau va du faux au vrai à partir d'un examen critique des postulats de Hobbes et des modalités de son principe de causalité. Du reste, il semble toujours argumenter contre quelqu'un.

Ex : le rejet des postulats.

Selon Rousseau, Hobbes fait un tableau très noir de l'état de nature pour faire croire aux hommes qu'ils ne peuvent vivre en paix que sous la domination d'un maître. De ce fait, la servitude apparaît préférable à une guerre sans fin. Pour Rousseau, la paix fait moins prospérer l'humanité que la liberté, et si l'on prend la liberté comme postulat de départ, tout change en ce qui concerne l'État et le Souverain. Ainsi la conception de départ de Hobbes aurait pour objet le souci de justifier le despotisme…

c. Mais les failles de la démonstration et les contradictions de la raison peuvent aussi être mises en valeur par le lecteur de ces œuvres.

Notes à rédiger : – On remarque des ruptures :
Chez Machiavel, rupture entre le XXV et le XXVI chapitres. Passage du froid raisonnement à l'exhortation enthousiaste. Plus de lien véritablement logique. Chez Hobbes, trois chapitres rompent l'argumentation. Ils se présentent comme le commentaire de divers passages de l'Écriture sainte. Hobbes veut éluder les difficultés qui lui

> viendraient de l'Eglise. Cette rupture brise le
> raisonnement et le fait ensuite flotter.
>
> Chez Rousseau, rupture dans la construction du
> fait du gonflement de la dissertation romaine du
> Livre IV. Elle illustre l'analyse, mais on peut se
> demander si ce n'est pas une tactique pour éloi-
> gner des propositions du raisonnement...

En outre, la méthodologie est toujours le fruit d'une élaboration subjective qui sollicite l'approbation du lecteur. La fonction du discours consiste à poser que la vie de l'État est intelligible et que l'homme est capable de la cadrer et de l'ordonner au mieux, logiquement et objectivement. En fait, à travers le discours qui se veut objectif, perce le choix personnel.

Notes à rédiger : – Ex : Aristote se livre à une description partisane
    mettant en valeur une notion d'équilibre et de
    cycle, loi implicite de l'évolution politique. Ses
    prescriptions sont réformistes mais aussi conser-
    vatrices.

Le travail théorique contribue à faire apparaître le choix de l'auteur comme le seul possible et le seul viable, compte-tenu d'un but initial, la paix pour Hobbes, la liberté pour Rousseau, la constitution d'un état fort pour Machiavel. Dans cette perspective, les exemples historiques utilisés sont certes des fragments d'Histoire, mais intégrés dans la causalité de chacun, ils confirment le discours. On assiste surtout à une réduction du fait historique au raisonnement et pas vraiment au contraire.

Notes à rédiger : – Ex : Choix de César Borgia par Machiavel corro-
    bore un schème intellectuel préexistant fondé sur
    une conception de l'homme, une anthropologie.

    De plus, il est intéressant de constater que ce per-
    sonnage n'apparaît dans *Le Prince* qu'au chapitre
    VII.

    Si du fait historique et de son analyse objective
    procédait une méthode et une vérité, il serait plus
    logique de commencer par lui. Aucun des auteurs
    ne le fait.

Cette manière de procéder peut avoir des conséquences extrê-mes. En effet, si l'Histoire résiste à la théorie et au discours «logique proposé», l'imaginaire peut prendre le relais et créer l'harmonie. On peut le remarquer chez Aristote :

«Les soulèvements on également pour cause le mépris, comme dans le cas de Sardanapale... Si ce que rapporte *la légende* est exact ; mais si le fait n'est pas vrai de ce prince, *il pourrait* du moins l'être de quelque autre».

> **Transition :** Ainsi l'auteur politique devient parfois poète. C'est en fait la présence paradoxale du sentiment dans ces œuvres qui explique leur ambiguïté.

*   *
*

3. Mais pourquoi ce recours au sentiment a-t-il lieu, et comment le sentiment agit-il sur le raisonnement ?

   A. En fait, il semble que le sentiment soit à l'origine de la création de l'œuvre politique et explique certains postulats de départ.

Notes à rédiger : – Pour Aristote et Machiavel, c'est la frustration. L'un est un intellectuel et un professeur auquel la politique est interdite car il n'est pas citoyen, l'autre est un raté politique qui veut assurer sa promotion. Pour Hobbes, c'est l'inquiétude. Il soutient le roi menacé par la «grande rebellion». Pour Rousseau, c'est la haine farouche du despotisme, de l'arbitraire et de l'abus de pouvoir fondés sur l'inégalité civile.

Donc, c'est le sentiment en tant que passion qui détermine surtout l'écriture politique.

   B. Cette passion finit même par se glisser insidieusement dans le raisonnement.

Notes à rédiger : – Chez Aristote : affirmations gratuites au cours du raisonnement -«aucune dissension valant la peine d'être mentionnée ne surgit entre les différentes fractions du peuple lui-même (chap. 1)-, pratique du rejet : phénomènes touchant royauté et tyrannie traités à la fin du chap. 10 du LV pour ne pas contaminer l'exposé.

               – Chez Hobbes, si le Souverain n'est pas soumis aux lois, la seule garantie qu'il respectera le salut du peuple est l'espoir du philosophe. La preuve est que Hobbes envisage le cas du tyran.

- Machiavel affirme que l'échec de César Borgia est dû au manque de chance, ce sentiment n'est nullement vérifiable.
- Chez Rousseau, le sentiment prend la forme d'un rêve de transparence idyllique introduit au sein du raisonnement. *Le Contrat social* présuppose une sorte d'unanimité fondamentale mythique. De plus, dans un État où la volonté générale est toute puissante «le bon sens, l'intégrité et la justice» sont communes pour Rousseau à tous les citoyens.

Ainsi, divers sentiments sont utilisés au même titre que des propositions plus rigoureuses et contribuent dans une certaine mesure au résultat final.

c. En effet, le sentiment a une incidence sur l'aboutissement des systèmes politiques mis en valeur.

Notes à rédiger : – Les théories politiques d'Aristote sont une réponse au sentiment d'insécurité créé par la crise civile du monde grec au IVe siècle. Elles marquent un rééquilibrage nécessaire.

Chez Machiavel, il y a un sentiment implicite de départ, et explicite d'arrivée : la patriotisme italien doublé de l'orgueil florentin, Florence étant selon lui appelée à dominer toute l'Italie.

Chez Hobbes l'aboutissement revient à la pure confiance dans un souverain qui possède tous les pouvoirs.

Rousseau réalise une idée mythique : la synthèse de l'individu et du tout, de la raison et du sentiment en recomposant un monde «selon son cœur».

Ainsi finalement, ce sont la raison et l'attention du lecteur qui sont en cause, non seulement pour prendre conscience de l'illogisme des démonstrations à certains moments, mais aussi pour remarquer l'incursion du sentiment dans le raisonnement, une incursion somme toute positive dans la mesure où elle crée un rapprochement humain qui enrichit le rapport d'intelligence entre les écrivains et leurs lecteurs, même si par ailleurs l'ambiguïté et le paradoxe apparaissent.

*

*   *

Lectures conseillées

AUERBACH E., *Mimesis*, Gallimard, Paris, 1946.

BADEL P.Y., *Introduction à la vie littéraire du Moyen Age*, Bordas, Paris, 3ᵉ édition, 1984.

BARTHES R., *Critique et Vérité*, Seuil, Paris, 1966. *Le degré zéro de l'écriture*, Gauthier, Paris, 1969. «Introduction à l'analyse structurale des récits», *Communications* 8. «L'effet du réel», *Communications* 11. *Siz*, Seuil, Paris, 1970.

BELAVAL Y., *Psychanalyse et Critique littéraire en France*, N.R.P, Paris, 1969.

BENAC H., *Vocabulaire de la dissertation*, Hachette, Paris, 1969.

BENVENISTE E., *Problèmes de linguistique générale*, Gallimard, Paris, 1966.

BLANCHOT M., *L'espace Littéraire*, Gallimard, Paris, 1955. *Le Pas au-delà*, Gallimard, Paris, 1973. *L'Ecriture du désastre*, Gallimard, Paris, 1980.

BOURNEUF R. et OUELLET R., *L'Univers du Roman*, P.U.F., Paris, 1981.

BUTOR M., *Essais sur le roman*, Livre de Poche, Paris, 1969.

CRESSOT M., *Le Style et ses techniques*, P.U.F., Paris, 1971.

DUBOIS R., LAGANE R., LEROND A., *Dictionnaire du Français classique*, Larousse, Paris, 1972.

FREUD S., *Introduction à la psychanalyse*, Payot, Paris, 1970. *Essais de psychanalyse*, Payot, Paris, 1972.

GENETTE G., *Figures II*, Seuil, Paris, 1969. *Figures III*, Seuil, Paris, 1972.

GERBOD P. et F., *Introduction à la vie littéraire du XXᵉ siècle*, Bordas, Paris 1986.

GREIMAS A.J., *Sémantique structurale*, Seuil, Paris, 1966.

GREVISSE M., *Le bon usage*, Duculot, Paris, 1975.

LAUNAY M., MAILHOS G., *Introduction à la vie littéraire du XVIIIᵉ siècle*, Bordas, Paris, 1973.

LITTRE E., *Dictionnaire de la langue française*, Editions du Cap, Paris, 1974.

LUKACS G., *Balzac et le réalisme français*, Plon, Paris, 1952.

MACHEREY P., *Pour une théorie de la production littéraire*, Maspéro, Paris, 1980.

MAURON C., *Des métaphores obsédantes au mythe personnel*, Corti, Paris, 1963.

MENAGER D., *Introduction à la vie littéraire du XVIᵉ siècle*, Paris, Bordas, 3ᵉ édition, 1984.

PICARD R., *Nouvelle critique ou nouvelle imposture*, Livre de Poche, Paris, 1965.

POULET G., *Etudes sur le temps humain*, Plon, Paris, 1972. *Les chemins actuels de la critique* (avec G. Genette, J. Ricardou, J.P. Richard, J. Rousset, J. Tortal), Plon, Paris, 1975.

RICARDOU J., *Les Problèmes du Nouveau Roman*, Seuil, Paris, 1967.

ROBERT P., *Dictionnaire alphabétique et analogique de la langue française*, S.N.L., Paris, 1975.

ROUSSET J., *Forme et Signification*, Corti, Paris, 1962.

SARTRE J.P., *L'Imaginaire*, Gallimard, Paris, 1940. *Situations*, Gallimard, Paris, 1947-1972. *Qu'est-ce que la Littérature*, Gallimard, Paris.

TADIE J.Y., *Introduction à la vie littéraire du XIXᵉ siècle*, Bordas, Paris, 1972.

TODOROV T., *Littérature et signification*, Seuil, Paris, 1967.

TOURNANT J.C., *Introduction à la vie littéraire du XVIIᵉ siècle*, Bordas, Paris, 1972.

Composition micro : ALMA EDITIONS – 92150 Suresnes
Impressions Dumas, 42009 Saint-Etienne
N° d'imprimeur : 31303
Dépôt légal de la 1ʳᵉ édition : 1ᵉʳ trimestre 1989
Dépôt légal : avril 1993

Imprimé en France

Collection Lettres Supérieures

L'Histoire littéraire

• Les périodes

Introduction à la vie littéraire du Moyen Âge (BADEL)
Introduction à la vie littéraire du XVIᵉ siècle (MÉNAGER)
Introduction à la vie littéraire du XVIIᵉ siècle (TOURNAND)
Introduction à la vie littéraire du XVIIIᵉ siècle (LAUNAY)
Introduction à la vie littéraire du XIXᵉ siècle (TADIÉ)
Introduction à la vie littéraire du XXᵉ siècle (GERBOD)

• Les courants

Lire le Romantisme (BONY)
Lire le Réalisme et le Naturalisme (BECKER)
Lire l'Humanisme (LEGRAND)
Introduction au surréalisme (ABASTADO)

• Les thèmes

Lire l'Exotisme (MOURA)
Lire les Femmes de lettres (AUBAUD, à paraître en 93)

• Les œuvres

Lire Du côté de chez Swann de Proust (FRAISSE)
Lire Nadja de Breton (NÉE)
Lire En attendant Godot de Beckett (RYNGAERT, à paraître en 93)
Lire Alcools d'Apollinaire (HUBERT, à paraître en 93)

• Les genres

Lire la nouvelle (GROJNOWSKI, à paraître en 93)
Lire le théâtre contemporain (RYNGAERT)
Introduction aux grandes théories du roman (CHARTIER)
Introduction aux grandes théories du théâtre (ROUBINE)
Introduction à la poésie moderne et contemporaine (LEUWERS)
Introduction à l'analyse du roman (REUTER)
Introduction à l'analyse du théâtre (RYNGAERT)
Introduction à l'analyse du poème (DESSONS)

Les méthodes pour l'analyse des textes

Introduction aux méthodes critiques pour l'analyse littéraire (BERGEZ et al.)
Éléments de psychanalyse pour l'analyse des textes littéraires (WIEDER)
Éléments de linguistique pour le texte littéraire (MAINGUENEAU)
Pragmatique pour le discours littéraire (MAINGUENEAU)
Le contexte de l'œuvre littéraire (MAINGUENEAU, à paraître en 93)
Introduction à l'analyse stylistique (SANCIER/FROMILHAGUE)
Éléments pour la lecture des textes philosophiques (COSSUTTA)

Les ouvrages de préparation aux examens et concours

Précis de grammaire pour les concours (MAINGUENEAU)
L'explication de texte littéraire (BERGEZ)
La dissertation littéraire (SCHEIBER)
L'atelier d'écriture (ROCHE)
L'épreuve de littérature comparée (CHAUVIN/CHEVREL, à paraître en 93)
Lexique de latin (CARON)
Les philosophes et le corps (HUISMAN/RIBES)
Éléments de rhétorique et d'argumentation (ROBRIEUX)